JN064894

一瞬で相手を惹きつける
最強のプレゼンスキル

声のデザイン

The design of voice

MAKE UP VOICE 代表
林重光

GB

「デザインとは、見た目だけでなく、
そのモノがどう機能するのかということだ」

――スティーブ・ジョブズ

はじめに
～「声の時代」がやってきた～

今、ビジネスの現場では「声」の重要性に注目が集まっています。

これまでは、円滑なコミュニケーションや説得力のあるプレゼン、スピーチを実現するために「話し方」や「言葉選び」に磨きをかける人は多かったものの、磨き上げた言葉の数々を乗せる役割を果たす「声」に着目するビジネスパーソンはあまりいませんでした。

しかし今、多くの政治家や経営者が「声の専門家」をつけており、巨大ＩＴ企業が集まるアメリカのシリコンバレーをはじめとした世界のビジネスシーンで、声を磨くトレーニングが研修プログラムとして取り入れられているのです。

私は、ヴォイスコンサルタントという仕事をしています。発声のしくみを研究する専門家として二十年以上、「声が出にくい」「滑舌を改善したい」などといった悩みを抱える方々に解決法を提案してきました。
　キャリアの初めのころは、日常生活で声をうまく出せるようになりたいという内容のご相談が多かったのですが、近年目立ってきたのが「マネージャーとしての求心力を高めたい」「取引先からの信頼を勝ち取りたい」、そのために効果的な声の使い方を学びたいというビジネスパーソンからのご相談です。日本銀行様をはじめとした多くの企業・団体からも研修や講演のご依頼を続々といただいており、ビジネスの現場における「声」に対する注目度の高まりを、ひしひしと感じています。

　声が持つ影響力の大きさに気付く人が増えた理由の一つとして、コロナ禍によるビジネス環境の変化が挙げられるでしょう。コロナ禍によって、ビジネスの現場からは多くの「情報」が失われたのです。たとえば、多くの会議や打ち合わせがオンラインになった結果、場の雰囲気の共有や細かい意思疎通が難しくなりました。仮にリアルの場で対面できたとしても、相手の顔がマスクで覆われていれば、細かい表情の変化は察知しづらくなります。このように多くの情報が失われたなかでも、変わらずに残った数少ない情報の一つが「声」でした。マスクをしていても、オンラインで離れた場所にいても相手に届く、「声」の存在感が高まったのです。

ひとたび声の重要性がわかると、私たちは日々、無意識のうちに声を重要な手掛かりにしながらコミュニケーションをとっていることに気付きます。声が小さくてゆっくりとしたテンポで話す人を見たら「この人は穏やかな性格なのだろう」、あるいは「自信がないのかな」といった推察をすることでしょう。低く、大きな声で話す人を見たら「堂々としている」、なかには「威圧感がある」という印象を受ける人もいるかもしれません。

同じ言葉を発したとしても、その声の特徴によって、受け手の捉え方は大きく変わるのです。企画が採用されない、熱意が顧客に伝わらない、部下と上手にコミュニケーションが取れない、などといった悩みを抱えるビジネスパーソンの皆様には、ぜひ一度ご自身の声に着目してみることをおすすめします。

本書では、皆様が言葉を通して相手に伝えたいことを、より伝わりやすくするための、理想の声のつくり方をご紹介します。

ただし、「あっという間にいい声になる」といったテクニックのみを紹介する本ではありません。もちろんChapter3で紹介する数々のテクニックには即効性があり、「今まさに声を出さなければいけない」という局面では非常に心強い味方になります。しかし、その場をなんとか乗り切るためのテクニックだけでは、理想の声をつくるための根本的なアプローチにはなりません。声は、心の持ちようや体の状態といった複合的な要素が絡み合ってできていますので、理想の声を手に入れるためには、自分の心や体と日々向き合いながら、整えていく習慣が必要なのです。

本書は大きく5つのパートに分かれています。最初の「Introduction　魅力的な声は自分のブランドになる」では、声がその人の印象をつくる、ひいては人生が変わる、ということを事例も交えながらお伝えします。声に意識を向けることが、ビジネスシーンにおいてどれだけ重要であるかということにお気付きいただけるのではないかと思います。

「Chapter1　自分の声の特徴を知る」は、理想の声に近付く第一歩を踏み出すためのパートです。まずは自分の声を知り、そしてそれを受け入れるところから、声を磨いていく習慣が始まるのです。

「Chapter2　心─気持ちのつくり方が声に大きな影響を与える」「Chapter3　技─すぐに

使える　声をあやつるテクニック」「Chapter4　体―理想の声を手に入れる体の整え方」では、理想の声をつくるために備えておくべき心・技・体について解説します。声はさまざまな要素からできている非常に繊細なものであるということ、そしてそれを上手にコントロールしていく方法についてお伝えいたします。

誰もがみな、「自分だけの声＝個声」を持っています。自分の大切な個声の特徴を理解し、丁寧に磨き上げることによって、皆様の魅力はどんどん高まっていきます。声という、自分だけのブランドを育てていく日々を早速始めていきましょう。

声のデザイン 一瞬で相手を惹きつける 最強のプレゼンスキル 目次

Chapter 1 自分の声の特徴を知る …… 45

Chapter 2

心――気持ちのつくり方が声に大きな影響を与える

Chapter 3 技 ―― すぐに使える 声をあやつるテクニック …… 105

Chapter 4 体——理想の声を手に入れる体の整え方

Introduction

魅力的な声は自分のブランドになる

01 なぜ政治家や経営者は声のコンサルタントをつけるのか

アップルの創業者、スティーブ・ジョブズのスピーチやプレゼンをご覧になったことはありますか？　２００５年にスタンフォード大学の卒業式で行われた「伝説のスピーチ」や、２００７年に初代 iPhone を発表したときのプレゼンは、今も多くの人の心を動かしています。

ジョブズがプレゼンに向けて念入りな準備をしていたことは有名です。言葉の選び方やスピーチそのものの構成、ジェスチャーやスライドの使い方など、彼のステージからは非常に多くの学びがあり、世界中のプレゼンターが参考にしています。

インターネット上には、ジョブズのスピーチの全文を掲載しているサイトが数多くありますから、動画ではなくテキストでスピーチを読んだ方も多いのではないでしょうか。

ジョブズのプレゼンの魅力は、もちろんテキストからも感じ取ることができます。洗練された言葉選びや、ときおり挟み込まれるユーモアに思わず心をくすぐられます。

しかしながら、動画で観たときと比べると何だか物足りない、と感じる方も多いものです。人々をiPhoneに熱狂させ、学生たちに未来への希望を植えつけたジョブズのスピーチも、実は、テキストだけではその魅力が半減してしまうのです。

テキストでは、目を引くジェスチャーや美しいスライドが見られないから、物足りなく感じるのでしょうか。そこで、音量をゼロにした状態のジョブズのプレゼン動画を観てみます。それでもまだ、感動や興奮を覚えるほどではありません。

最後に音声つきのプレゼン動画を観てみると、ジョブズのプレゼンやスピーチの魅力の大部分が、ジョブズの発する声によってできているということがわかるでしょう。

あまり注目されていませんが、実はジョブズは声の使い分けが非常にうまかったのです。スピーチの構成の素晴らしさもさることながら、話すリズムに緩急をつけ、パートによって声量を変え、この言葉にはこの声を、この展開ではこの声をと、巧みにコントロールしながらオーディエンスを惹きつけていることがわかります。ですから、英語がわからない人が見ても、ジョブズのスピーチには心を動かされるものがあります。字幕をつけず、日本語訳がない状態でスピーチを聞いたとしても、聞こえてくる「声」にどこか高揚感を感じ取れるのではないでしょうか。

このような「声の重要性」に気付いた政治家や経営者たちが今、声に対する高い意識を持ち始めているのです。

もともと海外では、声に対して高い意識を持つ人が多く存在します。私たちにはあまりなじみがありませんが、海外のエグゼクティブには「声のコンサルタント」をつける人が珍しくありません。つまり彼らにとって、経営や財務、人事労務に匹敵するほど重要な経営資本というわけです。しかし、日本ではまだその動きは緩やかです。

海外と日本において、声に対する意識に違いがあるのはなぜでしょうか？　日本独特の文化に、その理由が隠されています。

日本には四季があります。夏が過ぎ、夜に鈴虫やコオロギの声が聞こえるようになると、私たちは秋が深まったことを知ります。古くから日本では、秋に鳴く虫の音について数多くの和歌が詠まれてきました。虫が羽を擦り合わせて出す音に対して、私たちはそれを「声」と表現し、愛でたのです。

ところが海外に目を向けてみると、こうした文化はあまり見当たりません。虫の音は雑音とされ、美しいものとして愛でる文化は日本くらいのものなのです。

こうした歴史があるからなのか、日本人は「雑音成分」を好みます。私たちは、八百屋さんや魚屋さんがガラガラ声で客を呼び込む姿に味わいを感じたり、声を枯らしながら街頭で演説をする政治家に心を動かされたりしてきました。詩吟や民謡にも、こうした雑音成分が含まれています。

一方、欧米では雑音成分が含まれていない「純音」が好まれます。オペラやコーラスなどを聴くとそのことがよくわかるでしょう。街頭演説で声を枯らしているような政治家は、まず当選できないとさえいわれているのです。

もう一つ、声に関する日本独特の文化があります。それは、日本人はもともと、声を出すこと自体をあまり得意としていないということです。

日本で古くから主流だった木造建築では、部屋と部屋を隔てるものは木と紙でできた襖でした。そのため、声が大きいと部屋の外まで会話が筒抜けになってしまいます。ですから大きな声でハキハキと話すよりも、ひそひそと小さな声で話すことが当たり前だったのです。

さらにもう一つあります。たとえば英語は具体的なことを伝えることに長けた言語で、言葉そのものに感情や情緒が乗ることが少ないといわれています。一方で日本語は「しみじみ」「つくづく」など、気持ちや情緒が言葉の中に入ることが多い言語です。ですから、英語でのスピーチでは、気持ちを伝えるためにジェスチャーを大きくしたり、声を工夫したりする必要があるのです。

このような文化的背景があり、欧米ではスピーチの技術や発声教育が発達しました。日本で、欧米のように大きな声を出してハキハキとプレゼンするという習慣が根付いてこなかったのは、言葉に気持ちが入っているために、声への意識が薄いからなのかもしれません。

20年くらい前からでしょうか。私たちは「自分の意見をしっかり言えるようになりましょう」と教わるようになってきました。このころから、大きな声でハキハキと喋ることが良しとされるようになり、大きな声でハキハキと喋っている人は、快活で生き生きしていて仕事ができそうだ、逆に小さな声でボソボソと話す人は、自信がなさそう、仕事ができなさそうだという印象付けが強まってきたのです。

時代の変化によって、私たち日本人も欧米のような発声教育を取り入れる重要性が高まってきました。

となると、ハキハキと喋る方がいいのか、声は大きい方がいいのかという話になりそうですが、そうとも限りません。これについては、後ほど詳しくお伝えします。

02 声こそが情報社会を生き抜く武器

私たちが生きる現代社会には、たくさんの情報があふれています。書店に行けばあらゆる分野の専門書が並んでいますし、ひと昔前までは高いお金を払ったり特別な人脈がなければたどり着けなかったような情報にも、インターネットを使って簡単にアクセスすることができるようになりました。

同じ本を何十回と読み込んだり、一枚のレコードを擦り切れるまで聴き込んだりすることが珍しくなかったころを思うと、隔世の感があります。情報が簡単に手に入るものではなかった時代というのは、一つひとつの情報にとても大きな価値があったのです。

情報社会を生きる私たちは、発信する側に回ることも多くなりました。インターネットの普及によって、誰でも手軽に自分の知識や考えをほかの人に届けることができるようになったわけです。「発信力」の重要性が叫ばれるようになった結果、スピーチやプレゼンなどを通じて言葉を話す機会も激増しました。

こうして情報がどんどん増えていくと、一つひとつの情報の価値は相対的に下がっていきます。たくさんの人が同じような内容を話すことが増えていきますから、言葉だけで差別化することが難しい時代がやってきたということです。そこで、発信する情報に重みをつけるために注目すべきなのが「声」なのです。

相手に勇気を与える声、説得する声、自信を感じさせる声、なぐさめる声。同じような情報があふれる、ライバルだらけの情報社会を勝ち抜くには、その言葉を伝えるときの声が大きな差別化ポイント、つまりあなたの大切なブランドになるということです。

声の重要性が高まるきっかけの一つになった大きな出来事があります。「はじめに」でも触れましたが、新型コロナウイルス感染症の流行によるマスク社会の訪れです。

コロナ禍の間、私たちはマスクを着用して生活していました。マスクで顔の下半分が覆われてしまうと、相手の表情から読み取れる情報が減り、コミュニケーションがしにくいと感じた方も多かったことでしょう。

視覚からの情報が減ったならば、何かで埋めなければなりません。そこで着目されたのが「声」という聴覚情報でした。

実際にコロナ禍以降、日本銀行をはじめ声の重要性に注目した多くの企業様から、研修や講演会のご依頼をたくさんいただくようになりました。研修を終えたビジネスパーソンの皆様は、相手に何かを伝えるときに、声がこれほどまでに大きな影響を与えているとは気付かなかったと口々におっしゃいます。

伝える情報の内容を極限まで磨き上げたり、話し方や言葉の選び方を工夫したりするビジネスパーソンは多いものですが、ぜひとも声が果たす役割にも目を向けていってください。あなたの新しい武器となることは間違いありません。

03

声にはその人の本音が表れる

声にはそれを発する人の気持ちが大きく反映されますので、声を聞くことによって相手の本音を推し量ることができます。声は、言葉を発するための単なる道具ではなく、非常に多くの情報が詰まっています。声からどれだけの情報を取れるかが、複雑な人間関係を円滑にするためのカギにもなるのです。

Chapter1で詳しくご紹介しますが、声というものは「高低」「強弱」「テンポ」「音質」という4つの要素から成り立っています。この4つの要素に着目することによって、その人が何を感じているのかという「情報」を手に入れることができるのです。

たとえば、営業でアポを取り、初対面の人に向けて商品のプレゼンをすることになったとしましょう。対面してアイスブレイクから始めたものの、受け答えをする相手の声が低く、声も大きくはない、心なしか声色も暗い。そんなとき、あなたはおそらく相手に対して「このプレゼンには興味がなさそうだな」と感じるはずです。ところが、途中で共通の話題が見つかり、会話中に相手の声が急に高くなったとします。それは、あなたや話の内容に対して好意的になった証しです。その変化にあなたもすぐに気付くでしょう。

逆に声が低くなったとしたら、さらに関心を失ったか、不快な気持ち、不信感を抱いている、ということが感じ取れます。

このように「あ、今すごく興味を持ってくれたな」と感じられれば、その話を広げることでさらに相手の関心を得られるかもしれませんし、「この話題になった途端に声が低くなったな」とわかれば、その話題を早急に切り上げてほかの話題に移った方がいいでしょう。

また、話すテンポが速い方や早口な方を見ると、「この人はそそっかしいな」とか「せかせかしている人だな」という印象を受けます。逆にゆっくり話す人に対しては、大らかさや落ち着きを感じるものです。

さらに、どんなに堂々と振る舞っていても、消え入りそうな弱々しい声で話してしまうと、「本当は自信がないのだろう」と見抜かれてしまいます。本人は自信のなさを隠せているつもりでも、実は声にくっきりと表れてしまっているわけです。

それほど、私たちは話すテンポや声の大きさ、声の出し方によってその人の性格やその人の本質を見出すことができるのです。声に表れている他者の性格や本音をより鋭敏に察知することができれば、プレゼンや商談、セミナーなどを、優位に進めていくことも不可能ではありません。

「メラビアンの法則」をご存じの方も多いのではないでしょうか。メラビアンの法則は、アルバート・メラビアンというアメリカの心理学者が提唱したもので、視覚情報、聴覚情報、言語情報の3つの情報が矛盾しているとき、人は視覚情報から55％、聴覚情報から38％、言語情報から7％の割合で影響を受けるという法則です。

たとえば、「怒った顔で人を褒めた」とき、人は視覚情報から最も影響を受けるため、「怒っている」と感じます。「優しい声で罵倒するような言葉を発した」ときには、言語情報よりも聴覚情報から多く影響を受けるため「この人は冗談を言っている」「言葉はきついが、本音は別のところにありそうだ」という解釈をしやすいのです。

対面で話をしているときには、聴覚情報である声よりも、表情などの視覚情報からの影響を受けやすいため、相手の本音を掴み損ねることがあります。試しに、目を閉じて視覚情報を遮断した状態で、いろいろな人の声を聞いてみてください。最初のうちは声だけを聞いて人の本音を読みとることは難しいかもしれませんが、通勤電車の中やカフェ、自宅でご家族と過ごしているときに声だけに集中して聞くことを続けていくと「この人は不快に思っているな」「話に同意しているものの、心の中ではためらっているな」「今、すごく話に乗ったな」ということに敏感に気付けるようになっていきます。

04

同じ言葉でも声によって伝わり方が変わる

あなたが購入した商品に不具合があり、あやうくケガをしそうになりました。そこでカスタマーセンターに電話をかけ、状況を説明したところ、オペレーターが「申し訳ございませんでした」と一言謝罪の言葉を口にしたとします。

このときオペレーターが「申し訳ございませんでした!」と、甲高く大きな声で、早口に謝罪をしてきたとしたら、あなたは怒りを感じるのではないでしょうか。一方で、低くゆっくりとしたテンポで言われたら、あなたは思わず許してしまうかもしれません。

電話をかけた時点では怒りや不快という感情を抱いていなかったとしても、オペレーターの声の調子によって怒りが誘発されることがあります。反対に、怒って電話をかけたのに、話しているうちにみるみる怒りが鎮まっていくことも珍しくありません。

「申し訳ございませんでした」という言葉は、相手に謝罪の意を伝える最も的確な言葉です。それなのに、その言葉を届ける「声」の使い方次第で、伝わり方が全く変わってしまうのです。意識してみると、このようなケースは日常のありとあらゆる場面で見られます。

ビジネスの現場では年々、パワーハラスメント対策に力が入れられるようになっています。健全な職場環境を実現するために重要な取り組みですが、なかには本人に全く心当たりがないのに、部下からパワーハラスメントの訴えを受けてしまう方もいます。

そういった方を調査してみると、部下たちにかけた言葉や指示の内容そのものには問題がなかったのですが、声が威圧的だったために、受け手に歪んで伝わってしまっていたというケースがあるようです。

伝わり方が変わるということは、声を受け取った相手の「次の行動が変わる」ということです。先ほどのオペレーターの例であれば、聞き手であるあなたが不快感を抱いたとしたら、おそらく二次クレームに発展するでしょう。しかし「心から謝罪しているな」と受け取ったとしたら、「誠意のある対応をしてくれた」と好印象を抱き、その会社のファンになるかもしれません。

言葉も声も情報ですから、届け方によって、どのようにも伝わります。たとえば「リラックスしてください」と早口で大きな声でまくしたてられても、リラックスできませんね。逆に、ささやくような穏やかな声でゆっくりしたテンポで「リラックスしてください」と言われたら、心がホッとしてリラックスできるのではないでしょうか。相手の気持ちや行動を変えるためには、発する言葉に合った声を正しく選んで使うことが大切なのです。

私たちは日頃から、たくさんの言葉を使っています。「お疲れ様でした」「ありがとうございました」などの定型文を使うときには特に、声の使い方を強く意識して発言することは少ないものです。どちらかというと、「お疲れ様でした、だけでは素っ気ないから、何かもう一言添えようかな」など、言葉遣いの方に意識が行きがちかもしれません。

言葉遣いを工夫することはもちろん重要ですが、その言葉を届ける「声」も工夫してみましょう。「お疲れ様でした」という言葉に適切な声を組み合わせることで、相手にはねぎらいの気持ちがしっかりと伝わるのです。

私は、声は「贈与」であると考えています。皆さんは誰かにプレゼントを贈るとき、どんなものをあげたら相手が喜んでくれるのだろうと想像をしながら選ぶでしょう。声も、それと同じことなのです。相手が今求めている声を選んで、使うことができれば、相手の傷を癒やしたり、奮い立たせたりすることができるからです。

05 多くの人の声はスッピン

私たちはTPO（Time：時、Place：場所、Occasion：場面）に合わせて、身だしなみを整えます。スキンケアで日頃から肌の調子を整えますし、外出するときにはメイクをしますね。

髪型も同じで、自分に似合うようにカットしたり、セットしたりすることを、私たちは当たり前のこととして行っています。プライベートでは髪がボサボサであっても構いませんが、仕事で取引先の人と会うとかパーティに出席するといったときには、最低限身だしなみを整えるのがマナーでもあります。お客様に失礼のないようにと、髪の色やメイクなどに厳しい制限を設けている会社もあります。

これは言葉も同じで、近年では「話し方」や「使う言葉を丁寧に選ぶ」意識が浸透してきました。書籍やセミナーで話し方を学ぶビジネスパーソンもいますし、日頃からあまり乱暴な言葉を使わないようにと気をつけている方も多いものです。

ところが声については、日頃からケアをしたり、マナーとしてメイクを施すといった概念や、使う声を選ぶという意識を持っていない方がほとんどです。何かケアをするとしたら、せいぜい喉が痛いときにのど飴をなめるとか、咳が出るときに咳止めを飲むといったことくらいではないでしょうか。

また、がっかりしたりイライラしたりしたときには、無意識のうちに声が低くなったり、大きくなってしまう方もいます。つまり声に関しては、無防備に素のままの自分をさらけ出してしまっている方が非常に多いのです。声だけはいつでもどこでもスッピンのままで、ＴＰＯに合わせるという考えが浸透していないといえます。特にビジネスシーンにおいては、素のままの自然な声では不十分なのです。

しかし多くの方が、時と場合にそぐわない声を使ってしまうことによって、相手に悪い印象を与え、自分自身の評価や信頼を大きく損なってしまっています。

表情は豊かで言葉遣いも優しいのに、声に全く抑揚がなく早口でまくし立てられると、私たちはその人のことを「優しそうな人だな」とは思いません。外見で受ける印象と声から受ける印象が違いすぎるので、「裏がありそうだな」「信用できないな」というマイナスの印象を抱いてしまいます。

素敵なスーツを着こなして穏やかな表情をしているのに、話し始めにとても乱暴に声を出す方もいます。たとえば、吐き捨てるような言い方で相手の名前を呼んでしまう。そんな方もいますが、呼ばれた人だけでなく周りの人も、「この人は他者に対する思いやりの気持ちが欠けているのではないか」という印象を抱いてしまうのです。

乱暴に声を出す人は他人に威圧感を与えますし、実際に、乱暴に声を出す方というのは、雑であったり粗野な方が多いものです。「〜だからぁ」「というわけでぇ」というふうに、語尾をだらしなく伸ばしたり、言い捨てるように発音したりする人に対しては、多くの人が「幼い」という印象を持つことでしょう。プライベートであればそれでも問題はありませんが、ビジネスの場では、やはり声にメイクを施すことが求められるのです。

声にメイクを施すことは、決しておかしなことではありません。むしろ相手に対する敬意を表すための大切なエチケットであり、コミュニケーションをする上での最低限の礼儀であるといっていいでしょう。

06
声を聞けば、その人の家の中が見える

私はヴォイスコンサルタントとして、これまで八千人以上の声のコンサルティングを行ってきましたが、声を聞くことによって、その人が普段どのような暮らしをしているのかが手に取るようにわかります。

たとえば、普段どういった椅子に座っているのか、どういった形でどのくらい柔らかいソファを使っているのか、ということまで、声を聞くだけでわかります。声には、その人のありのままの姿が表れるのです。

声は、姿勢に大きく影響を受けます。たとえば、デスクワークの時間が長い方は慢性的に猫背で、頭が前に出ているため、喉周辺の筋肉が固まってしまい滑舌が悪くなりがちです。また、緊張しやすく、人前で話すときに上半身が力んで肩や胸が張ってしまう方は、声が硬く、話し出しの発音が強くなりやすいので、「怒っている」「怖い」という印象を抱かれやすくなります。

普段は猫背であっても、スピーチやプレゼンテーション、営業や商談、接客のときにだけ胸を張り、姿勢を良くすることを心がけている方も多いものです。

しかし、一時的に姿勢を良くしたとしても、声はついていきません。普段から姿勢が良い人が発する声とは明らかに違うため、「いつもは違う姿勢なのだな」ということがわかってしまいます。猫背の人がそのときその瞬間だけ無理をしても、無理をした声が出てきてしまうわけです。

これは、スキンケアや日頃の運動などにも似ています。人は自分の体型に合ったスーツを着るだけで、印象ががらりと変わります。ただ、いくら体型に合った上質な生地を使ったスーツを着ていても、筋肉を引き締めたり姿勢を良くしたりはしてくれません。そこは日々の筋トレやストレッチなどの習慣がものをいいます。

肌も同じことがいえて、カバー力の高いファンデーションも、肌が乾燥しすぎていては効果が半減します。日頃からのスキンケアが大切になってきます。そして声も同じく、そのときだけ取り繕っても、ありのままの姿が透けて見えてしまうのです。

声を聞くことによって、本音だけではなくその人の日々の暮らし方や生活習慣までが透けて見えてくる。求めている声を安定して出せるようにしたいのであれば、発声練習と同じくらい、歩く姿勢や座り方などの普段の過ごし方が大切です。

07 声に自信が持てれば人生が動き出す

発言すると、いつも「え?」と聞き返されてしまう。
よく声が裏返ってしまい、人から笑われる。
自分の声が好きになれない。

こんなふうに、さまざまな理由で声に自信を持つことができず、生きづらさを感じている方がいらっしゃいます。声が原因で上司に「頼りなさそう」「自信がなさそう」という印象を与えてしまえば、昇進にも影響するかもしれません。声が原因で人生が停滞しかねないわけですから大きな問題です。

しかし逆に、声に自信が持てるようになれば、人生が大きく開けていく可能性もあるのです。

ここで一つ、実際のエピソードをご紹介しましょう。

声で悩んでいる20代のある男性が、私のところに相談に来られました。話を伺ってみると、10代の学生時代から悩みを抱えていたそうです。声変わりする時期が周りよりも遅かったこともあり、声変わりの変化が出てきたときにどのように声を出したらいいかがわからなくなってしまったといいます。変声期を過ぎたころからは、発言すると周りから聞き返されることが増えていったそうです。

その方の声は、音量が小さく、高い。また、かすれていて、時に上ずってしまうという状態でした。声変わりがうまくいかない、いわゆる「変声障害（声変わり障害）」の症状です。

一般的に男性は、思春期を迎えると声が約1オクターブ低くなります。これが「声変わり」です。基本的には自然と声変わりを経て低い声に移行することができますが、声変わりを迎えているのに無理をして高い声を出していたり、周りの声変わりのタイミングと自分の声変わりのタイミングがずれたりすると、声変わりがスムーズにいかなくなることがあります。

自分だけ声が高いことで周りからからかわれ、高い声をコンプレックスに感じてしまう。そして、会話もしなくなってしまう。そうすると、ますます声変わりのタイミングがずれてしまいます。変声障害は、このようにして引き起こされるのです。

変声障害については、高校1年生くらいまでは様子を見ていいとは考えられていますが、それ以降もまだ声変わりしていない場合は、周りの大人たちが気にかけてあげることが大切です。なるべく早く変声障害に対応すれば1カ月ほどで解決できますが、遅くなればなるほど解決に時間がかかります。

この方は頻繁に聞き返されることによって不安や苦痛を感じるようになり、徐々に話す機会が減っていってしまいました。やがて20代になり、就職活動をする時期になりましたが、面接では話したことに対して聞き返されるだけではなく、声が高いことを笑われたり、

「やる気があるのか」と問われることもあったといいます。ある企業では、面接官から「ふざけているのか」と言われたこともあったそうです。

この方は、「声が普通に出せるようになって、改めて就職活動をしたい」という目標を持っていました。すでに20歳を超えており、変声障害を発症してから時間が経っていたため、私は「とりあえず、10カ月ください」とお伝えしました。そして、ご本人と話をしながらプログラムを組み立てていきました。

トレーニングを4カ月続けると、普通に声変わりを終えた男性と同じ低い声が出せるようになりました。しかし、プログラムはここでは終わりません。この方だけでなく多くの変声障害の方がそうなのですが、本来の自分の声が出るようになったとしても、その声を使って社会生活が送れるようになるには、低い声が出せるようになるのと同じくらい長い時間がかかります。これまでの自分の声とは全く違う新しい声を使い始めたとき、また誰かから笑われるかもしれない、からかわれるかもしれない、という不安が生じてしまうからです。

そこで、低い声が出るようになった後はさらに3～4カ月かけて、新しい自分を受け入れ、折り合いをつけるための時間をとっていきました。まずは、家族に声が変わったことを伝えるところから。そしてそれができたら、次に親しい友人と、新しい声を使って話してみる。こうして少しずつ、新しい自分の声を社会になじませていくのです。

大抵の方は、低い声が出るようになったことを他人に打ち明けるのに非常に抵抗を覚えます。この方もそうでした。ご家族はまだしも、友人に打ち明けることにとても勇気がいるのです。

社会生活のなかで声に対して何かしら言われてしまった経験があると、近しい友人に対しても、恐怖を抱いてしまいます。そこで、友人から「お、声変わったじゃん」「良かったね」と言ってもらえると、「ああ、この声を使って大丈夫なんだ」とようやく思えるようになります。大切な人たちが新しい声を受け入れてくれたとき、それまでの過去を手放すことができるのです。

この方も、友人に打ち明けて受け入れてもらってからは、自信を持って就職活動に臨めるようになりました。結果、約10カ月で声は問題なく出せるようになり、就職活動を再開して見事内定を獲得されました。それからしばらくしてお会いしたときには、「コミュニケーションをとることが楽しくなったし、自ら発言することが増えました」と嬉しそうに話してくれたのが印象に残っています。

声の悩みを克服された方のほとんどが、「声を変えられるなんて思っていませんでした」とおっしゃいます。外見はメイクをしたり髪型を変えたり、ファッションを変えたりして見せたいように見せることができますが、声はそういかないと諦めてしまっている方がとても多いのです。

しかし、声は変えることができます。Chapter1からは、自分の声と向き合い、整えていく方法やいつでも使えるテクニックなどをご紹介していきます。声に自信がないというだけで諦めてしまっていたさまざまなことを取り戻すために、声という大切な自分のブランドを磨き上げていきましょう。

Summary of Introduction

◆ スティーブ・ジョブズは、話の内容や会場の雰囲気に合わせて声を巧みに使い分け、多くの聴衆の心を動かした。

◆「雑音成分」が好まれやすい日本とは対照的に、「純音」へのこだわりが強い欧米では、発声教育が発達している。

◆ 雑多な情報社会で言葉や想いを届けるためには、「声」を工夫することが大きな差別化ポイントになる。

◆ 声の大きさや高さ、テンポなど、声にはその人の性格やそのときの感情が表れる。

◆同じ言葉であっても、発する声の特徴によって伝わり方は大きく変わる。

◆普段話すときの声と、接客やプレゼンに適した声は別物。声は、TPOに合わせて使い分けていく必要がある。

◆声の悩みを抱えていると、コミュニケーションが億劫になって社会生活が難しくなったり、ビジネスパーソンであれば昇進に影響することさえある。声の悩みを克服することは、人生を前進させる。

Chapter 1

自分の声の特徴を知る

01 誰もが「個声」を持っている

これまで声に強い関心を持っていたのは、政治家や経営者など、社会的地位が高く、話すことで多くの人を動かす必要がある人に限られていました。しかし今は、一般的なビジネスパーソンにも、プレゼン力やスピーチ力など、話すことに対する高いパフォーマンスが求められるようになってきています。こうした背景もあって、声と言葉を使ったコミュニケーションにおいてストレスを抱える方が増えているのを感じます。

私のもとに届くご相談のなかで、近年特に多いのが「具体的な悩みがあるわけではないけれど、自分の声がこれでいいのかチェックしてほしい」というものです。声がうまく出せない、滑舌が悪いなどといった課題には直面していないものの、声に対する漠然とした不安を抱えているのです。

漠然とした不安を抱えている方は、「これで本当にいいのでしょうか？」「これが正しいのでしょうか？」と矢継ぎ早に質問を繰り返す傾向があります。専門家である私に「あなたはそれで大丈夫ですよ」とお墨つきを与えてほしい、という心理が強いのでしょう。

では、なぜ「これで大丈夫なのだろうか」と漠然とした不安を抱く方が多いのでしょうか？　それは、「どんな声が『いい声』なのか」という基準がよくわからない点にあります。基準となる物差しがないために、何を参考にして自分の現在地を判断すればいいのかがわからず、不安を抱いてしまうのです。

身だしなみであれば「オフィスカジュアル」という言葉があるように、フォーマルで求められる一定の基準が示されています。不安ならばジャケットを羽織っておけばいい、肌を過度に露出する服を避け、スニーカーではなく革靴やパンプスを履いておけばいい、といった「最低限の基準」のようなものを、私たちは共有しています。カジュアルな場であれば、カバンで遊ぼうとかシャツを柄物にしようといったアレンジも可能です。これがいわゆるＴＰＯと呼ばれるもので、多くの場合、私たちはＴＰＯに合わせることができるわけです。

ところが、声についてはその基準がありません。そうなると、自己判断でやっていくしかありません。そこで、多くの方が自分以外の人の声や話し方を参考にします。「経営者だから孫正義さんの話し方を参考にしよう」「マネージャーになったから、昔お世話になった上司の話し方を参考にしよう」というふうに、無意識にでもなっていくわけです。

もちろん、そうしたロールモデルを設定することは間違いではありません。本書でも、「この人はプレゼンがうまいな」「声の出し方が素敵だな」と思う人が見つかったら、その方の話し方や声の要素を分析して真似てみましょう、とお伝えしています。

ただ、他者に目を向けるということは、自分と他者を常に比較するということでもあります。行きすぎてしまうと、「あの人みたいな柔らかい声を出せるようになりたい」「あの人のように自信のある声になりたい」と、他者にばかり目を向けてしまい、できない自分を責めてしまったり、「できない」「ダメだ」といったネガティブな感情を抱いたりしてしまうのです。

人それぞれ、生まれ持った体も顔も違うように、声も違います。

指紋と同じく、声にも「声紋」があります。声紋は一人ひとり違うもので、1億人いたら1億通りの声があるのです。誰かのようになれない自分を責めてしまうのではなく、持って生まれた自分だけの声を磨き続けましょう。誰かの声になりきろうとするのではなく、自分の「個声」を大切に磨いていけばいいのです。

02

「いい声」も「悪い声」もない

自分の声があまり好きではないという方は、自分の声を「いい声」だと思っていないことが多いようです。

確かに、アナウンサーや声楽などの世界では「お手本にするべき声」というものがあります。ただ、それは限られたジャンルのなかでの話であって、声そのものに良し悪しはありません。先にも触れましたが、商店街の八百屋さんや魚屋さんなら少ししゃがれた声の方が「活気があっていい」と感じますし、小さい声で控えめに話す方に対して、私たちは「この人は気持ちの優しい方だな」という印象を受けるものです。

自分の声を「いい声ではない」と思っている方に共通するのが、過去に声にまつわる嫌な経験をしていることです。小学生のころに友人や先生から何度も聞き返されたため、「自分は声が小さいんだな」「滑舌が悪いんだな」と思い込んでしまっている方もいますし、緊張しやすいためにプレゼンの際に声が上ずってしまい、周りに笑われたという経験を持つ方もいます。

このような経験があると、どうしても自分の声に自信が持てなくなり、「嫌な声だな」「いい声ではないな」と思ってしまうのです。

しかし、人によって声の好みは異なります。高めの声が好きな人もいれば、低い声が好きな人もいます。自分が好きな声から外れているというだけで好まれないこともあり得ますし、嫌いな人の声に似ているという理由で「嫌な声」とジャッジされていることすらあるのです。つまり、声の良し悪しの判断には主観が大きく関わっているということです。

まずは、「声に絶対的な良し悪しはない」ということを理解した上で、あなたが改善したい部分や理想とする声を探していきましょう。

03

声との出合いは一期一会

私たちの体の中にある細胞は新陳代謝をしていて、毎日少しずつ入れ替わっています。一説によると、人の骨は3年から5年で丸ごと新しく入れ替わるそうです。

声は肺からの呼気が声帯を振動させ、それが口や鼻で整えられて音として出てきたものですが、声帯の細胞も口や鼻の細胞も常に新しく入れ替わっているのですから、全く同じ声が出続けるはずがありません。このように、たとえ自分の声であっても、同じ声は二度と出せない、つまり声との出合いは一期一会であるということがわかります。

もしも10年前の自分の声を聞くことができたなら、今よりも若々しくて驚くかもしれません。長く活躍している歌手の声を比較してみると、よくわかります。デビュー直後の若い声と、成熟した今現在の声とでは、かなりの差がありますね。毎日のなかではあまり気付かないのですが、私たちの体が変化するように声も日々変化しているのです。

また、声はその時々の自分のコンディションによっても変わります。疲れているときはかすれた声が出やすくなりますし、逆に元気なときには、張りのある声が出しやすいものです。悲しみに暮れているときに楽しそうな声を出すのは難しいことですし、嬉しいときには、自然と声も跳ねたりします。声というのは、いつでも私たちの思い通りになるわけではないのです。


今、出てきてくれた自分の声とは、もう二度と出合うことはない。

そう考えると、「嫌いだな」と思っていた自分の声にも愛着が湧いてきませんか？

それに、嫌いだと思っていた声は過去の声であって、今のあなたの声ではありません。

ですから、過去に思い通りの声が出ずにスピーチやプレゼンで失敗をしたとしても、また次も失敗するとは限らないのです。思い通りの声が出ないこともあれば、思いもよらぬ理想の声が突然出てきてくれることもあります。

しかし、コントロールが全くきかず、私たちは自分の声に翻弄されるばかりかというと、そういうわけでもありません。自分の声の特徴と向き合い、適切な手入れを重ねていくことで、少しずつ自分の思い描いた声に近付けていくことはできるのです。ぜひ、自分の声との一期一会の出合いを楽しみながら、理想の声をつくり上げていきましょう。

04 ほとんどの人は本当の自分の声を知らない

声を磨いていくためには、現状の自分の声を知っておく必要があるわけですが、「本当の自分の声」を知っている人は意外にも少ないものです。

他人の声というのは、空気の振動が音として自分の耳に聞こえています。一方で、自分が発した声というのは、空気中の音波と、自分の声帯を震わせてできた音が体壁（内臓を取り囲む骨や筋肉、皮膚などでできた壁のこと）を振動させて、それが自分の「聴覚中枢」に伝わることによって聞こえています。

試しに、家族など他人の背中に耳をつけて、その人が話す声を聞いてみてください。声と一緒に自分の体に振動が伝わってくるでしょう。声も、普段より少し低く聞こえてきませんか？　これが、自分で自分の声を聞いている状態です。つまり、ボイスレコーダーや動画に収録された、自分以外の人が聞いている声こそが、本当のあなたの声なのです。

録音された声は普段聞いているものとは違うため、それがきっかけで自分の声が嫌いになってしまう方も少なくありません。しかし、「理想の声」という目的地にたどり着くためには、まずは出発点を知ることが必要です。出発点と目的地を結ぶことができて初めて、声を変えるために何をすればいいかがわかるからです。

自分の本当の声を知り、向き合っていくことには少し勇気がいりますが、まずは自分の出発点を知るために、ボイスレコーダーに録音した声を聞いてみてください。すると、人と比べて声が小さめだったり、声に抑揚がなかったり、普通に話しているつもりなのに怒っているように聞こえたりと、さまざまな気付きがあることでしょう。今までは気が付かなかった自分の声のいいところに気付くこともあるはずです。

出発点がわかったら、あとは目的地に向かっていくだけです。響く声や通る声を出すためのテクニックを身につけたり、安定した声が出るようになる体をつくるためのエクササイズを習慣化しながら、理想の声を目指していきましょう。

05

「自分に求められている声」を理解する

出発点が確認できたら、次に取り組みたいのが目標設定です。特にビジネスパーソンであれば、声によってどんな効果を得たいのかを軸に考えてみてください。たとえば上司として部下のパフォーマンスを上げることが仕事の一つだとすれば、どういう言葉をどういう声で伝えていったらパフォーマンスが上がるだろうか、と考えてみましょう。

新入社員の前で挨拶をして「これから一緒に頑張っていこう」と伝えるときには、ささやくような小さな声よりも、元気で張りのある声の方が適しているでしょう。落ち込んでいる同僚を励ますときは、心が落ち着くようなゆっくりとしたテンポと低めの声が適しているかもしれません。

経営者の場合、相手の感情に訴えかけることを目的として声や言葉を使っていくことが求められます。人は、理屈や理論だけでは動かないことが多いからです。すらすらと自社商品の優れたところをアピールしたとしても、期待した通りの反響が返ってくるとは限りません。相手が心を開いてくれるように優しい声を使ったり、自信や情熱を感じさせるエネルギッシュな声を使うなどの戦略が必要になります。

一方、研究者やエンジニアなど技術職の方なら、研究成果などについて論理的な説明をすることが求められるシーンが多いでしょう。論理的に、わかりやすく説明をするのであれば、必ずしも感情に訴えかける声を習得する必要はないわけです。あらかじめ台本をつくり込んでその通りに話すというスタイルでもいいですし、声に感情を乗せるトレーニングにたっぷりと時間をかける必要もありません。このように、理想の声という目標を設定するときには、「どのような声が求められているのか」を分析してみましょう。

私のクライアントさんには営業職の方も多くいらっしゃいますが、どんなタイプのお客様に対しても安定して高い営業成績を上げ続ける方は、「トークの引き出し」だけでなく「声の引き出し」をとても多く持っていらっしゃいます。「このお客様はどんな営業スタイルが好みなのだろうか」「今お客様はどんな感情を持っているのだろうか」と、相手のタイプやそのときの状況に合わせて見事に声を使い分けます。
ほかの人たちと全く同じ商品やサービスを、全く同じ資料を使いながら提案しているのに、営業成績に大きな違いが出るのは、彼らが「声」を重要な営業スキルの一つと認識して日々磨き上げ続けているからでしょう。

小説家で尼僧の瀬戸内寂聴さんは、自分の目の前に来た人がどんな言葉を求めているかがわかっていたため、自分が伝えたい言葉ではなく相手が求めている言葉をかけてあげていたそうです。

声も同じです。相手の求めるものや置かれた状況を判断し、声を使い分けていくことで、伝えたいことが相手にしっかりと届いてくれるのです。

06

人は、声のイメージを無意識に決めつけている

テレビを見ていてニュースが流れたとき、アナウンサーがボソボソと喋り出したら、きっと私たちは少しびっくりして「何があったんだろう?」とテレビに見入ってしまうでしょう。カスタマーセンターに電話をしたときに、オペレーターの方が非常に低い声で話し出したら、不快感に近い違和感を覚えるはずです。

私たちは、無意識のうちに「アナウンサーはこういう声」「電話のオペレーターはこういう声」というふうに、その人のポジションと声のイメージを結びつけて認識しています。

たとえば映画やドラマ、小説などに登場する経営者像は、ほとんどが自信満々で話す人物として描かれています。こうした情報を通じて、私たちは「企業の経営者やオーナーは、こんなふうに喋るものだ」という印象を無意識に抱いています。ですから、か細い声で話している社長職の方を見ると、無意識のうちに比較して違和感を抱いてしまうのです。

ビジネスにおいて、こうした違和感の多くは不安や不信感につながります。「人前でしっかり話ができない社長で、あの会社は大丈夫だろうか」という思考につながるのです。求められている声とかけ離れた声を使うことには、そのようなリスクがあります。

こうしたリスクを防ぐためには、自分はどのような声が求められているポジションにいるのかを常に認識しておくことが大切です。その上で、求められている声を理解し、その声に近付いていきましょう。

また、「求められる声」というのは非常に流動的なものでもあります。私のもとには技術職の方も多く相談に来られますが、話を聞いてみると、リーダー職に就いている社員は、自分の部署やチームに所属している社員に対してしっかり話ができることが評価の対象になってきているそうです。先ほど、技術職の方について「必ずしも感情に訴えかける声を習得する必要はない」とお伝えしましたが、このように時代やポジションが変わると、求められる声が変わってくることもあるのです。

07

声は4つの要素からできている

明るい声、暗い声、柔らかい声、威圧的な声など、声から受ける印象はさまざまですが、声を構成するのは主に次の4要素です。

①高低
②強弱
③テンポ
④音質

この4要素を知っておくことで、感覚的ではなく具体的なアプローチによって声に変化を加えることができます。詳しく見てみましょう。

① 高低

声の高さのことです。高いか低いかは、声帯の振動数で決まります。成人の話し声の場合、1秒間に100~200回の振動をするといわれており、高い声ほど1秒間の振動数が増えます。

② 強弱

声の大きさのことです。強弱は、声帯と呼気（吐く息）の関係で決まります。

声を出す時には声帯が閉じます。閉じたところが声門なのですが、声門にどれだけ強い空気、つまり呼気を送ることができるかによって強弱が決まります。声帯を強く閉じて大きく振動させることができれば、大きな声、強い声が出ます。声帯を強く閉じるためのトレーニングはChapter4でご紹介します。

③ テンポ

声を出すために必要な呼気量をどのくらい継続することができるかで、声を出すテンポが決まります。母音の「ア」か「エ」を発声して何秒間継続できるかを測ってみましょう。

成人の方の平均値は25秒前後といわれています。

④　**音質**

声色というとわかりやすいでしょうか。音質は声帯の使い方、共鳴腔の形、息の方向などによって変わります。

この4つの要素を調整しながら組み合わせることによって、声を使い分けることができます。たとえば、プレゼン中に大事なポイントを強調したいときには、テンポを下げてゆっくり話すことを心がけてみましょう。また、音量を落とし、ささやき声に近付けてみるのも効果的です。人は普通の音量で話されるよりも、音量を下げてささやき声で話された方が、集中力が上がることがわかっています。

特に、マイクを使ってスピーチやプレゼンをするときには、声量を下げることによってメリハリをつけることを意識してみるといいでしょう。

相手の緊張をほぐすためには、少し低めの声が適しています。甲高い声は悲鳴に近いた

声を構成する4つの要素

① 高低	声の高さ、低さ。 緊張すると高くなりやすいなど、心理状態によって大きく変化する。
② 強弱	声の大きさ。 声帯を閉じたときにできる「声門」に、どれだけ強い呼気を送ることができるかで声の大きさが変わる。
③ テンポ	声を出すテンポ。 声を出すために必要な呼気量をどれだけ持続できるかでテンポが決まる。緊張によって呼気の持続時間が短くなると、息が続かなくなり、早口になることがある。
④ 音質	明るい声、柔らかい声など、声の音色。 声帯の使い方や共鳴腔の形、息の方向などによって変わる。

め、本能的に緊張を招いてしまうからです。声の強弱ですが、ここはいつも通りで、強すぎず弱すぎずで問題ありません。「いつも通り」というのは、4要素のことを特に意識せず自然に出てくる声のことです。たとえば声の高低には個人差がありますが、いつも発している自分の声の高さを基準とし、状況に合わせて自分のなかでの高い声または低い声を使い分けてください。テンポは、速いと急かされているように受け取られてしまい、緊張をほぐす効果が得られないため、ゆっくりが最適です。最後に音質ですが、少し明るめの声を出すことによって、相手は警戒心を弱めてくれるでしょう。暗い声は動物のうなり声に似ているため、緊張を高めます。

では、経営者が社外に向けてプレゼンを行う場合はどうでしょうか？　この場合は、声の高低はいつも通りで、強弱は少し強くして大きめの声。テンポはゆっくりの方が、自信の大きさが伝わりやすくなります。音質はいつも通りで構いません。

このように、声の4要素のうち、どこかを変えることによって、相手が「聞き耳」を立てて話を聞いてくれるのです。これはスピーチのコツでもありますから、スピーチの機会が多い方は意識してみましょう。左のページで、いくつかの状況別の声の使い分け方を表にまとめましたので、ぜひご活用ください。

状況に合わせた声の使い分け方

状況	高低	強弱	テンポ	音質
信頼される声	やや低い	いつも通り	いつも通り	いつも通り
自信のある声	いつも通り	強い	ゆっくり	いつも通り
優しい声	いつも通り	弱い	ゆっくり	明るい
警戒させない声	やや低い	いつも通り	ゆっくり	明るい
威圧する声	低い	強い	ゆっくり	暗い
反論に負けない声	いつも通り	いつも通り	ゆっくり	やや明るい
大事なポイントを伝える声	いつも通り	やや弱い	ゆっくり	明るい

08 よく聞き返されるのは「声が小さい」からなのか？

声に関する悩みは人それぞれですが、なかでも多いのは「よく聞き返されてしまう」という悩みです。詳しく状況をヒアリングしていくと、聞き返されることで悩んでいる方は、大抵その原因を「声が小さいから」だと思い込んでいます。自分の声が小さくて相手が聞き取れないから、何度も聞き返されているのだと考えているのです。

しかし、実際に喋っていただいて声を聞いてみると、声量には問題がないことも珍しくありません。そこで私は、「どういったシチュエーションのときに聞き返されることが多いですか？」と尋ね、原因を詳しく探っていきます。

ざわざわしている環境のときに聞き返されることが多いのか、それとも静かな室内であっても聞き返されるのか。特定の人に聞き返されることが多いのか、誰と話していてもそうなのか。または、電話で話しているときに聞き返されることが多いのか。こうしたことを探っていくと、聞き返されている原因が見えてきます。声の大きさではなく滑舌があまり良くないために聞き返されているということもあれば、そもそも自分の声には全く問題がなく、相手の耳が遠くて聞き返されているというケースもあるのです。

自分の声が持っている特徴を正しく把握するためには、自分の声を、先ほどご紹介した4要素に分解してみましょう。よく聞き返されて困っている方が、4要素で分析してみると「声の大きさには実は問題はなく、高さを少し変えることで解決した」というような事例はたくさんあります。

09 声は遺伝よりも環境に左右されやすい

家族とは声が似るものです。声帯や鼻腔の形に関係する「声質」の要素においては、声は先天的要素が高いといえます。ただし、声の大きさや出し方などその他の要素は、生まれつきの特性よりも環境による影響が大きいのです。

たとえば、家族が皆大きな声で話す家庭で育った子どもは、自分も大きな声を出すようになります。お年寄りと一緒に暮らしているご家庭では、大きな声で話すのが普通になっていることも多く、大人になって、周りから「この人はどうしてこんなに大きな声で話すのだろう」と驚かれたりします。

また、大きな声を出すときに怒鳴ることが当たり前の家庭で育つと、大人になっても大きな声を出すときに怒鳴り声を出してしまうようになります。そうすると、相手は怒られているように感じて萎縮してしまうでしょう。このように、声というものは、家庭環境などの後天的要素の影響を受けやすいのです。

それは言い換えれば「声は日々の心がけや生活習慣次第で変えていける」ということでもあります。

10 理想の声を見つける、真似る

立場や状況に合わせて求められる声を出せるようになるには、「この人の声に近付きたい」と思えるモデルを見つけることが大切です。職場で真似したいと思える声の使い手を探して、徹底的に真似てみましょう。職場にいない場合は、YouTubeやテレビ、ＳＮＳなどを使って、実際に会ったことがない人をモデルにしても構いません。自分と同じようなポジションにいる人のなかで探すと良いでしょう。

あなたが職場でプレゼンのスキルを高めたいという目的を持っているのであれば、同じ職場にいる人のなかでスピーチやプレゼンが上手な人の、声の4要素について調べてみてください。①高低②強弱③テンポ④音質、それぞれの要素について5段階評価を行い、あなたの声と比較してみます。すると、「あの人に比べて自分は声が暗いな」「テンポが速すぎるかもしれない」などといった違いが見えてきます。その違いを埋めていくことで、理想の声に近付いていくことができます。

ただ、テンポは人によって感じ方が異なるため、自分ではゆっくり話しているつもりでも、相手にとっては早く聞こえることがあるかもしれません。そこで、テンポについてはその人が1分間あたりに発言した文字数を数えることをおすすめします。

たとえば「おはようございます」であれば9文字ですね。声を録音できるのであれば、積極的に録音させてもらいましょう。後で声を文字に起こしてみると、1分間あたりの文字数を数えることができます。もし録音が難しいようなら、後でその人が話していたテンポを真似して自分で話してみると、おおよその文字数がわかります。

こうしてお手本にしたい人の声の要素を分析し、真似てみることによって、自分の声を理想に近付けていくことができるのです。

理想の声の声質が自分とはかけ離れていたとしても、強弱やテンポなど真似ることができる要素はたくさんありますから、ぜひチャレンジしましょう。

ただし、「その人の声になる」ことを目指すのではなく、自分の声にその人の声の要素を取り入れる、というイメージで行ってください。あくまで自分の個声を尊重し、良いものを取り入れながら磨き上げていくという意識を大切にしましょう。

Summary of Chapter 1

◆ 人の声は、時間の経過とともに日々変化していく自然物である。

◆「いい声」か「悪い声」かを分ける絶対的な指標はない。持って生まれた自分だけの「個声」を受け入れ、自分の理想に向かって磨き上げていくことが重要。

◆ ボイスレコーダーに録音した「本当の自分の声」と向き合うことが、理想の声に近付くためのファーストステップ。

◆ 声は「高低」「強弱」「テンポ」「音質」の４要素からできており、これらを調整することで、さまざまな声を使い分けることができる。

◆職業や役職などのポジション別に「求められる声（＝多くの人がイメージする声）」が存在する。目指すべき声を発する人を見つけ、４要素を分析することでその声に近付くことができる。

◆声は、遺伝よりも育った環境や普段の生活などといった後天的要素の影響を大きく受ける。

Chapter 2

心

気持ちのつくり方が
声に大きな影響を与える

01

声を不安定にさせる敵を知る

プレゼンやスピーチで重要なのは、安定して声を出すことです。1回のプレゼンやスピーチの最中に声を安定して出し続けることはもちろん、本番を迎えるたびにいつも安定した声を出せるようになることも重要です。しかし、お伝えしたように声との出合いは一期一会ですから、毎回安定して一定レベル以上の声を出し続けることは簡単ではありません。

安定した声を出せるようになるために、まずは、声を不安定にさせてしまう要因を知るところから始めていきましょう。

声を不安定にさせる要因は、大きく分けて外的要因と内的要因に分類できます。外的要因とは、その日の天候や会場の空調などのような、自分以外の要因のことです。プレゼンを行う会議室の空気が乾燥していて喉が張りつく、面接時間が朝早いため声が出しづらいといった要因のほかにも、マイクに不具合があって声がうまく客席に届かない、モニターが小さくて資料を見ながらプレゼンを進められない、といったようなことも外的要因に含まれます。参加者から想定外の質問が飛んでくるのも、一つの外的要因といえるでしょう。

外的要因は自分でコントロールしにくいものの、予測が立てやすいため、対処が容易です。たとえば冬場にプレゼンをするのなら、空気が乾燥しがちなことを想定して手元に飲み物を用意しておくとか、スーツのポケットにガムを忍ばせておいて、本番前や休憩中にガムを噛んで喉を潤すなどの対策が考えられます。ガムを噛む場合は、シュガーフリーのものがおすすめです。Chapter4で詳しくご説明しますが、糖の摂りすぎは声を不安定にさせることがあるからです。

夏場であれば、空調が効きすぎて寒い場合に備えて、厚手のジャケットを追加で用意しておくといいでしょう。壇上で浴びるスポットライトの熱で体が熱くなり、不快に感じる可能性もありますから、スポットライトが直接当たらないように位置の調整を依頼したり、衣装を薄手のものにしたりするなどの対策を講じておくと、安心感が増します。

想定外の質問には前もって対処することが難しいものですが、「想定外の質問が飛んでくることがある」ということを知っておくだけでも心構えが変わります。「もしその場で答えられない質問をされたときには、こんなふうに回答しよう」と切り返し方を考えておくことはできるでしょう。想定外の質問がどうしても苦手だということであれば、質問は後日メールで送ってもらうよう、事前に案内するのも良いでしょう。このように、何が自分の敵になりやすいのかを前もって知っておけば、本番に向けて自分のペースで対策を講じることができるのです。

外的要因に比べて対処が少し難しいのが内的要因です。内的要因とは、緊張しやすい、滑舌が良くないといった、自分自身の中にある要因のことです。内的要因に対しては、外的要因よりも一歩踏み込んだ対策が必要です。

吃音や滑舌が悪いなどといった課題をお持ちの方には、Chapter3 や Chapter4 でご紹介する内容が役立つはずです。緊張や不安をすぐに和らげてくれるテクニックや、毎日継続することで効果の出るエクササイズをご紹介していますから、組み合わせながらうまく活用してください。

内的要因が厄介なのは、声を出す瞬間だけでなく、普段の生活パフォーマンスまで下げてしまうことです。プレゼンの日が近付くにつれて、緊張が増して食事が喉を通らなくなったり、夜ぐっすり眠れなくなるのはよくあることです。普段の生活におけるパフォーマンスが下がると、本番で失敗する確率も上がってしまいます。

不安や恐怖を感じたり、過去の失敗を思い出したりすると「なぜうまくできないんだ」と自分に対して苛立ちや怒りを向けてしまうことがあります。しかし、そこで自分を責めることはやめましょう。不安や恐怖などの内的要因に対しても、外的要因と同じように状況を修正し、求める声が出せる環境へと整えていけば良いだけなのです。

このChapterでは、声を出すときの「内なる敵」にフォーカスしながら、理想の声を出すために欠かせない「心」の持ち方についてお伝えします。

02

緊張は体のスイッチが入ったサイン

あなたは、ある研修に参加しようとしています。会場に入ると、１００人ほどの参加者がすでに席に着いており、あなたは目立たないように後ろの席に座ることにしました。

席に着いてしばらくすると、壇上に司会者が現れてこう言います。

「これから研修を始めます。研修が終了した後、右に座っている方からマイクを回していきますので、１人ずつ今日の研修で得た学びや質問をコメントしてください」

目立たないように後ろの席を選ぶような方であれば、この瞬間からひどく緊張してしまうのではないでしょうか。何を発言すればいいのか考えることで頭がいっぱいになり、研修の内容が入ってこないかもしれません。１００人の前で話すことを想像して、緊張で手足が冷たくなり、心なしか息苦しさまで感じ始めてしまうでしょう。

研修が終わり、参加者にマイクが回され始めました。もうすぐあなたの番です。あなたは研修に参加したことを後悔しながら、マイクが自分に回ってくるのをただ待つしかありません。体はガチガチに硬くなり、心臓は早鐘を打っています。過去に人前で声が震えたり、スピーチがうまくいかなかったりした経験がある方は、そのときのことがフラッシュバックしてしまい、さらに不安や恐怖が増してしまうでしょう。

焦りや不安、恐怖などの感情に囚われてしまうと、体は緊張して強ばります。心も体も固まってしまっているのに、声だけ安定して出せるということはあり得ません。うまく抑揚をつけられずに硬い声が出てしまったり、声が震えて上ずったり、しどろもどろになってしまったりします。そうなると、焦って余計に声が震えるという悪循環に陥ります。

このように緊張や不安といったネガティブな感情のせいでパフォーマンスが低下する体験が重なると、緊張や不安を「声を不安定にさせる敵」だと認識します。しかしそうすると、緊張や不安を感じたときに、それをなんとか排除しなければいけないという焦りが出てきてしまいます。するとますますパフォーマンスが下がるという悪循環に陥ってしまうのです。まずは、この負のスパイラルを断ち切らなければなりません。

そもそも、緊張することは「悪いこと」なのでしょうか？　捉え方を変えてみると、緊張や不安、恐怖といった感情は、実はあなたを支えてくれる強力な味方であることが見えてきます。

緊張は悪いものと私たちは考えがちですが、全く緊張感のない状態で良いパフォーマンスを出せるかというと、そうとも限りません。実は声帯や体が弛緩状態にあると、プレゼンやスピーチの場でしっかりとした声を出すことが難しいのです。

わかりやすい例が、お酒に酔っている人です。ひどく酔っている方と話すと、何を言っているのか聞き取れないことがあります。お酒を飲んで酔っ払うと声を出すために必要な筋肉が弛緩するため、滑舌が悪くなってしまうのです。

私はよく糸電話を例に挙げて説明します。糸電話は、糸がほどよくピンと張っている状態のときに、相手の声が自分の耳に届きやすくなります。この、糸がほどよく張っている状態が、まさに「緊張」している状態なのです。糸が張りすぎていたら切れてしまいますし、緩すぎると声は届きません。人間の体も同じように、適度な緊張状態にあってこそ最も高いパフォーマンスを発揮できるのです。

プレゼンやスピーチを始める前は本番へ向けて心拍数が上がり、呼吸が速くなっていきます。あの状態のとき、私たちの体や心は、本番に向けてパフォーマンスを高めようとしているのです。そのように捉えてみると、心拍数が上がってきても焦ったり不安を感じたりする必要がありません。「ああ、ベストを発揮するために体が準備しているのだな」と思えるようになります。

恐怖や不安についても、同じように見方を変えてみましょう。私たちは恐怖を感じることによって、適切なタイミングで危険を避けることができます。つまり、恐怖は私たちを守ってくれるシグナルでもあるのです。

恐怖や不安を感じられるからこそ、私たちは本番に向けて備えることができます。「もし失敗したらどうしよう」と不安になるからこそリハーサルを真剣にしようとしますし、日頃から体のコンディションを整えようとします。しかし、人前に出て話すことに何の不安も感じなければ、準備を怠るでしょう。その結果、本番のパフォーマンスが低くなってしまうのです。

もしも自分の中でネガティブな感情が湧いてきて、それが声の不安定につながってしまっているとしたら、その感情の捉え方を変えてみましょう。

ただし、過度な緊張につながるような大きな恐怖や不安がある場合には、その感情をポジティブに捉えることが難しい場合があります。この場合には、強い恐怖や不安の根本原因を見つけて取り除いていく作業が必要です。

具体的には、幼少期から現在までに過度な緊張を強いられた瞬間を振り返り、そのとき頑張ってくれた自分に感謝の声をかけ、認めてあげるという作業です。しかし、過去のつらい記憶と向き合うには多くの時間や勇気が必要です。精神科医や心理カウンセラー、私のような声の専門家の力を借りることにもなるかもしれません。

根本原因を解決するまでのつなぎとして、本書でこれからご紹介する数々のテクニックは非常に有効になりますのでぜひご活用ください。

03 「あのときの声を出したい」を捨てる

過去にプレゼンやスピーチで成功した経験を持つ人ほど、そのときのコンディションを再現したいと願うものです。なかには「今まではできたのだから、次もうまく話せるだろう」と高をくってプレゼンやスピーチに臨む方もいます。

しかし、過去を再現しようとすることはおすすめできません。職業柄、私は多くの方を見てきましたが、このような姿勢で臨んだプレゼンやスピーチは、大抵失敗に終わっています。

スポーツの世界に置き換えてみるとイメージしやすいので、ここではプロ野球を例に話を進めます。プロ野球はリーグ制なので、シーズンを通してバッターは何度も同じピッチャーと対戦します。現代はＩＴを駆使して情報を収集・分析して対策を立てるという戦術が主流ですから、他チームの選手が持っている癖や特徴、体の動かし方などさまざまなデータを集めます。

対戦相手のピッチャーが決まれば、そのピッチャーの情報をチーム内で共有します。「スライダーを投げるときは投球前に膝をいつもより高く上げる癖がある」「スロースターター型で、序盤はコントロールが乱れやすい」などの傾向がわかれば、バッターは前もってそれらの情報を頭に入れた上で打席に立つことができるわけです。

しかし、だからといって「いつもと同じように打てばいい」と考えるバッターは一人もいません。天候が違えば投球のスピードや軌道も変わりますし、その日の相手のコンディションによっては、事前に仕入れたデータとは異なる傾向が表れることもあるからです。負け越しているときと勝ち越しているときでは、お互いの心理状態も変わってくるでしょう。同じ選手との対戦であっても、一度たりとて同じ状況はあり得ない。そのことを、プロのアスリートは深く理解しているのです。

プレゼンやスピーチも同じです。天候が違えば、会場のコンディションも変わってくるでしょう。乾燥していれば声が枯れやすくなりますし、湿気が多ければ声がくぐもってしまい、相手に伝わりづらくなるかもしれません。同じ内容のスピーチであっても、聞き手が違えば反応が変わります。にもかかわらず、声に関しては「いつも同じ声が出る」「前回のように話せばいい」と思っている方が多いのです。

繰り返しになりますが、声との出合いは一期一会です。それなのに「今まで通りにやればいい」「今までと同じ声が出せればいい」と思ってプレゼンやスピーチに臨むのは、ただの慢心であり、怠けです。それは自信ではなく油断にすぎません。

そもそも、このように考えているときには「目の前にいる人に伝える」という、本当の目的を見落としてしまっています。

ほとんどの場合、プレゼンやスピーチを聞くために集まっている人は、スピーカーが話している姿を見たいわけではなく、話を通じて情報などを得たいと考えています。ところが、スピーカーが過去の成功や失敗に囚われてしまうと、自分のことで頭がいっぱいになってしまい、そんな基本的なことを見落としてしまうのです。

過去にうまく話せたときの声を再現したいという気持ちは痛いほどわかりますが、次のスピーチやプレゼンの成功率を上げたいのなら、その考えは今すぐ捨てましょう。うまくいったことも、うまくいかなかったことも、終わったらできるだけ早く忘れてしまうこと。それが、次のスピーチやプレゼンの成功率を高める秘訣です。

04

過去でも未来でもなく、心を「今」に戻す

過去の失敗や未来の不安に意識がいってしまうと、「今」がおろそかになり、適切な判断やとっさの行動ができません。

これは、いわゆる「上の空」に近い状態です。プレゼンやスピーチは生ものですから、たとえ原稿を用意していたとしても、目の前にいる人の反応を見ながら抑揚を変えてみたり、「ここはあまり理解されていないようだから、ゆっくり話そう」とテンポを落としたりして、常に調整しながら話をしていくことが求められます。しかし「あのときみたいになったらどうしよう」「こんなことが起きたらどうしよう」と、意識が「今」にない状態だと適切な判断ができず、聞き手に寄り添ったプレゼンができなくなってしまいます。

意識が「今」にないと身体感覚も鈍くなりますから、思い通りの声を出すことが難しくなります。声のパフォーマンスを向上させるためには「あのときのように話したい」と過

去に囚われるのをやめ、「失敗するかもしれない」と未来を過剰に案じることをやめなければなりません。

声を安定させ、プレゼンやスピーチを成功に導けるかどうかは、いかにして高い集中力を発揮できるかにかかっています。しかし不安や恐怖に囚われてしまうと、集中力が大きく削がれてしまいます。「つまらないと思われてしまったらどうしよう」「また声が出なくなるかもしれない」といった不安で頭がいっぱいになっていると、暗記したはずの原稿すら思い出せなくなることもあります。

恐怖や不安を克服するために、多くの方がスキルを高めて自信をつけようと考えます。確かに、自信が持てれば恐怖や不安などの感情を克服できそうにも思えます。しかし、いくら技術的に自信をつけたとしても、人前で話すことに恐怖や不安を感じてしまう心の状態では、せっかく磨いたスキルを活かすことができません。

不安や恐怖に囚われずに本番に臨むことができれば、高いパフォーマンスを発揮することができるようになります。するとそれが成功体験になり、自信もついてくるのです。

不安や恐怖を減らすためには、自分自身を過去や未来ではない「今」に戻すことが必要です。では、どうすれば今に戻ることができるのでしょうか。

カギとなるのが「感覚」です。感覚には、時間の概念がありません。つらいことを思い出しているとき、過去の自分がそのつらさを感じているのではなく、今の自分が過去のつらさを今に持ってきて感じているのです。未来についても同じで、楽しいことが待っていると私たちは気分の高揚を感じますが、それもやはり「今」の自分が感じていることです。

「感覚」をうまく使うことによって、私たちは意識や心を「今」に戻すことができます。頭痛や腹痛がひどいとき、しばしば私たちは何も考えられなくなります。試しに、少し痛みを感じるまで、指先を強くつまんでみてください。腕をつねるのでも構いません。痛みを感じている状態で、今不安に思っていることを思い浮かべてみてください。不安に集中することができないはずです。

かといって、プレゼンやスピーチのたびに指をつまんだり腕をつねったりする必要はありません。恐怖や不安に囚われている心や意識を「今」に戻すためには、足の裏に意識を集中させ、「足の裏が地面にくっついているのを感じる」ということを試してみてください。

立っているときには、足の裏が地面にくっついている感覚に、座っているときには、椅子とお尻がくっついている感覚に意識を集中させてみるのです。「くっついている」という感覚に集中しながら、同時に物事を考えることはできません。思考から離れて感覚にフォーカスすることで、心を「今」に戻すことができます。このエクササイズは、立っているときでも座っているときでも簡単にできます。過去や未来に心が支配されそうになったときに、ぜひご活用ください。

05 好きなものを思い浮かべると、それだけで声は変わる

心を今に戻す方法としてもう一つご紹介したいのが、好きなものを思い浮かべることです。甘いものが好きな方は、甘いものを。ペットを飼われている方は、ペットを想像するのもいいでしょう。お酒が好きな方はお酒を思い浮かべてみてください。たったこれだけのことですが、効果は絶大です。

想像するだけでワクワクして笑顔になれることをイメージすると、心と体が安定します。

そして結果的に、声も安定して出てきてくれます。これは毎日のエクササイズとして活用していただいてもいいですし、プレゼンやスピーチの本番前や本番中など、すぐに心をほぐしたいときに使っていただくのも効果的です。

あるものを頭の中でイメージしたときと、実際に目の前のものを視覚で見ているとき、私たちは脳の同じ領域を使っているという研究報告があります。イメージの力は、とても偉大なのです。

また、私たちの脳は現実と想像を区別することができないともいわれています。試しに、輪切りにされたレモンが目の前にあることを想像してみてください。レモンの断面はつやつやしており、果汁があふれています。イメージの中で、そのスライスされたレモンを手に取り口に含んでみてください。レモンの酸っぱさを感じて唾液が多めに出たり、顔が強ばったりすることでしょう。このように、レモンなど目の前になく、イメージをしただけなのに、私たちの脳は現実にレモンを食べたときと同じような反応をするのです。

これは味覚に限ったことではないようです。職場に苦手な上司や同僚がいて、あなたが毎日「この人のことが嫌いだな」と感じながら仕事をしているとしましょう。仕事が終わって家に帰り、ベッドに入って眠りに就こうとしたのに、その人のことを思い浮かべてしまって嫌な気持ちがむくむく湧いてきてしまい、眠れなくなってしまう。多くの人がそのような経験を持っていますが、嫌な人のことを思い浮かべているとき、脳にとっては、その人が横で寝ているのと変わらない状態なのだそうです。

同じように、過去に声に関することで嫌な経験をした方は、そのときのことを今に持ってきてしまっています。何十年も前に言われた言葉であっても、ありありと頭の中に蘇ってきて、ネガティブな感情が生まれてしまうのはそのためです。

人前で話すときに強い不安を感じたり、過去に言われて傷ついた言葉を鮮明に思い出したりしたときには、「ああ、私は過去のことを今に持ってきてしまっているのだな」と冷静に捉え、心を今に戻すために好きなものをイメージしてみましょう。不安や恐怖などに振り回されにくくなり、声のパフォーマンスが大きく向上します。

また、イメージするだけでなく、実際に自分が好きなものを使ってポジティブな気持ちをつくることもおすすめです。本番直前に不安や恐怖を感じたとき、好きな音楽を聴いたり、好きな香りを楽しんだり、または好きなゲームをしたりすることも集中力を高めるためには効果的です。草原で蝶々を追いかける子どもたちのように、自分が無心になれるものを見つけておくことで、ネガティブな想像に心を支配されにくくなるのです。

06 後ろに人をイメージすると大きな声が出せる

声が小さいことでお悩みの方は非常に多くいらっしゃいます。大きな声を出さなければいけない場面で力任せに声を張り上げてしまうと、喉を痛めてしまったり声がかすれてしまうことがあります。ここでは一つ、声帯に負担をかけずに、イメージの力を使って大きな声が出せるようになる方法をご紹介します。

声を出すときに、自分の後ろに人が立っていることを想像してみましょう。大体1～2メートルくらい後ろで、自分の声を聞いている人が1人立っていることを、頭の中でイメージするのです。その人に声を届けるつもりでお話をすると、無理に張り上げなくても声の音量が上がります。

声帯や、一部の筋肉に負担を集中させることなく大きな声を出すためには、体の背面にある大きな筋肉を動かす必要があります。そこで、後ろに人がいるのをイメージすることで、体の背面にある筋肉を脳が意識するようになり、自然と大きな声が出てきてくれるのです。

体の広い範囲を使えるようになることで、体の前面部にある「腹直筋」や顎関節が固まってしまうこともなくなり、発音の明瞭度が上がるという効果も期待できます。

07 「伝える」ときに心得たい「紙芝居の法則」

言葉は声に乗って相手に届くものですから、声が不安定になると、言葉も伝わりにくくなってしまいます。「弊社の新サービス、自信を持っておすすめします」と言っているのに張りがなく小さな声では、聞いている方は「本当に大丈夫かな」と疑いを持ってしまいます。

自分では普通に話しているつもりでも、後から聞き直してみると、とても早口になっていたり、抑揚がなかったりして驚くことがあるでしょう。緊張しているとき、自分の声について「声色が明るいか」「テンポが速すぎないか」などを冷静に判断することは難しいものです。

不安や恐怖で頭がいっぱいになっている状態のときは、目の前の人に何かを伝えたい、楽しませたい、という相手のことではなく、自分のことで頭がいっぱいになってしまっている状態ともいえます。

そんなときには「自分は紙芝居の語り手だ」というイメージを持ってみてください。紙芝居を読むとき、語り手は紙芝居の後ろにいます。紙芝居を見ている子どもたちは、あなたの声で紙芝居を聞いてはいますが、視線と意識は紙芝居の内容に集中していますね。プレゼンやスピーチを行うときも同様に、目の前の聴衆はあなたの声を聞いてはいますが、意識は、あなたが話す内容に集中しているのです。

緊張し過ぎる方や自分に意識が向き過ぎてしまう方は、立ち位置を忘れてしまっていることがあります。紙芝居の中に自分が入り込んでしまっていたり、自分が紙芝居よりも前に出てきてしまっているのです。目の前にいる人たちが、あなた自身に会いたくてそこに集まっているという場合は別ですが、多くの場合、聞き手にとって大事なのは話の内容です。スピーカーであるあなたは、それを伝えるために声を使って話している、いわば裏方なのです。

声を出して話すことの目的を見失わないように、この「紙芝居の法則」を忘れないでください。「意識の立ち位置」を変えてみるだけで、声のパフォーマンスは上がります。

08 安定した声が自然に出てくる「魔法の言葉」

皆さんは、ＴＥＤをご存じですか？　各分野の最前線を知る専門家が壇上に立ち、プレゼンを行う世界的なイベントです。私も声の専門家として、日本で行われたＴＥＤｘに登壇させていただいたことがあります。

ＴＥＤにはさまざまな方が登場しますが、皆さん非常にユニークで飽きさせません。ときには笑いをとったり、ときには謎を提供して聴衆を前のめりにさせたりと、さながらジェットコースターのようにプレゼンが進んでいきます。

このような、聴衆の感情を巧みに動かして惹きつける最高峰のステージを見ていると、自分がプレゼンをするときも、ＴＥＤに登壇するプレゼンターたちのように、その場を温めたり、コントロールしたりといった「場づくり」をしなければならない、と感じてしまいがちです。

年間何十回、何百回とプレゼンの機会を重ね、しかもそれを何年も続けている人であれば、場をつくる余裕も出てくるかもしれません。しかし多くの人にとって、場をつくるというのは非常に難易度が高いもの。なかなかできることではありません。場をつくるどころか、多くの方は、場の雰囲気に飲まれてしまうことの方が多いのではないでしょうか。

プレゼンやスピーチの冒頭で「私がこんな場に立って皆さんの前でお話しするなんて……」と謙遜する方は多いものです。私たちはさまざまなシーンにおいて謙遜し、へりくだる文化を持っています。たとえば贈り物にしても、「つまらないものですが」と言って相手に差し出すこともあるでしょう。

それが単なる言葉だけの挨拶であればいいのですが、プレゼンターやスピーカーとして登壇するときに「私がこんなに大勢の人の前に立って話すなんて、場違いではないだろうか」と一歩引いてしまうのは、声の安定にとってはいいことではありません。

「私はここにいていいのだろうか？」「相応しいのだろうか？」という不安が生じると、心そして体が不安定になり、結果として声が震えたり、自信のない、消え入るような声になってしまったりします。

私たちが何かを考えるときには、必ず言葉を使っています。試しに、本書を少しの間閉じて何かを考えてみてください。「お腹空いたな」「あの仕事、どこから手をつけようかな」など、言葉を使って思考をしていることに気が付くのではないでしょうか。

それはつまり、使っている言葉が現実である、ということです。あなたの頭の中にある言葉が、あなたの見ている現実だといえるでしょう。見ている現実が人それぞれ違うのは、頭の中にある言葉が違うからでもあるのです。

スピーチの場に話を戻しましょう。仮にあなたがスピーカーとして登壇する際に「私でいいのだろうか」と思うことは、「ここに私はいてはならない」という現実を頭の中でつくっているに等しいのです。

気の置けない友人たちとの集まりや家族、親戚との集まりのときに「自分は場違いではないか」と不安になることはありませんね。多くの場合、そんなふうに不安に感じてしまうのは、自分よりもレベルが高いと感じるような場に参加しているときです。

「自分は場違いな人間だ」と自分で思っているとき、地に足がついていない状態になっています。その状態で言葉を声に乗せて発信しても、そこにいる人には伝わりません。

あなたは、そこにいるべき役目があるからその場に存在しているのです。それがたとえ人数合わせであっても、誰かのピンチヒッターであっても、あなたが話すのは、それがあなたの役目だからです。「ここにいていいのだろうか?」と不安になっているときには、「ここにいる」「ここにちゃんと存在する」という覚悟を決め、自分に対して宣言しましょう。

私が、声のセミナーでよく行うパフォーマンスがあります。まず、参加者の方から1人壇上に上がってもらいます。その方に「ここにいていいのだろうか?」と頭の中で考えてもらいます。もしくは、口にしてもらいます。それからその方の体を手でポンと押すと、体はぐらぐらと揺れます。

一方で「ここにいていいんだ」と考えてもらった後に同じ力で体を押しても、全く揺れません。このパフォーマンスを見た方の多くが、声を出して驚かれます。「ここにいていいのだろうか?」を「ここにいていいんだ」に変えただけで、心と体のバランスにそれだけ大きな影響があるのです。

自分で自分のパフォーマンスを下げてしまうことだけは避けましょう。どんな場であれ、自分だけは自分の味方でいてあげてください。心と体が安定するなら、言葉は何でも構いません。「自分はここにいていいんだ」「責任を果たすんだ」「目の前のみんなを喜ばせるんだ」など、自分の心と体が安定する言葉を、ぜひ自分にかけてあげてください。

09

「視る」より「眺める」、「聴く」より「澄ます」

人前に立って話すときに緊張してパフォーマンスが低下してしまう方は、目の使い方を振り返ってみてください。目の前にいる一人ひとりの表情が気になって、つい目で追ってしまっていませんか？　自分の話がつまらないと思われていないだろうか、早く終わってほしいと思われていないだろうか、と不安になってしまっているため、つまらなそうな表情の人や、眠そうな表情の人が目に入りやすくなるのです。

緊張していると、一点を見つめて話しがちですが、この状態は声が不安定になりやすいのです。試しに、一点を見つめた状態でほかの人に体をそっと押してもらってみてください。体は大きく揺れ、よろめいてしまいます。

このとき、私たちは目の前のものを「視て」います。この「視」という漢字は、視力検査など、一点に集中してじっくり見るときに使用します。この目の状態ですと、体は揺れやすく不安定な状態になるのです。

目の前の人の顔色を窺い、「なんとかして面白いことを話さなくては」と相手に同調しすぎると、自分がなくなってしまいます。体が不安定になってしまうように心も不安定になってしまい、声のパフォーマンスが低下するのです。

そこで、声を使うときには、「視る」ではなく「眺める」を意識してみてください。私たちは景色を眺めたり、空を眺めたりしますね。「眺める」という漢字は、一点に集中せず、全体、もしくは広い範囲を見る状態を指します。この目の状態ですと、体が安定しやすくなります。一人ひとりの表情を気にしすぎることもなくなり、本来の力が出てきてくれます。つい「視る」をしてしまいがちな方は、意識して「眺める」ようにしてみましょう。「眺めている」状態で、先ほどと同じように体を押されても、体は揺れはするものの、よろめくことはありません。

「視る」と同じように体を不安定にするのが、「聴く」という行為です。「聴」という言葉は聴力検査などにも使われていますが、国語辞典で「聴く」を調べると、「聞こえるものの内容を理解しようと意識的に耳を傾ける」という意味があると書かれています。つまり、「視る」と同じく1つの音に集中しようとする行為が「聴く」という行為なのです。

緊張して鼓動が速まると、それだけで不安が生じてしまいます。すると当然、体は揺れやすくなります。視覚と同じように、聴覚で一点に集中してしまうと、体や声が不安定になるのです。

そんなときには、「聴く」ではなく「澄ます」を意識してみます。

早朝の澄んだ空気の中に身を置くと、自然と耳を澄ます状態をつくりやすいものですが、日中などざわざわしているときには、耳を澄ますのが難しいと感じる方もいることでしょう。そんなときには、「自分から一番遠くの音を探してみる」ことで、耳を澄ます状態をつくり出すことができます。

うまく声を出すことができなかった経験がある方は、そのときの視覚や聴覚の状態を振り返ってみてください。もしかすると、視覚や聴覚がパフォーマンス低下の一因だったのかもしれません。「眺める」「澄ます」感覚を使って、安定した声が出せる体の状態をつくりましょう。

Summary of Chapter 2

◆声を不安定にさせる敵は、その日の天候などの「外的要因」と、滑舌が良くないことやあがり症といった「内的要因」に分けることができる。

◆適度な緊張感は、高いパフォーマンスを発揮するために必要なもの。緊張を「体が準備をしているサイン」だと捉えると心が軽くなる。

◆過去の苦い記憶や未来への不安で頭がいっぱいになったら「足が地面にくっついている」感覚を使ったり、好きなものを脳内でイメージしたりして心を「今」に戻す。

◆聴衆は話し手よりも「話す内容」に注目している。「意識の立ち位置」を変えることで、緊張感をコントロールする。

◆一点をじっくり「視」たり、一つの音を集中して「聴」いたりすることは不安感につながる。ざっくりと広い範囲を「眺め」たり、耳を「澄ます」ようにすると心の安定が保てる。

Chapter 3

技

すぐに使える
声をあやつるテクニック

01 テクニックは本来一時しのぎのもの

このChapterでは「心」「技」「体」の「技」についてご紹介します。短時間ですぐに効果の出るテクニックを多くご紹介しますので、声を出す直前にうまくご活用ください。

ただし、テクニックを使っていく上で注意していただきたいのは、テクニックはあくまで対症療法にすぎないということです。

たとえば、あがり症で人前に出ると声が上ずってしまうという方は、緊張で上半身が強ばってしまい、声帯が固まってうまく声が出せない状態になっています。そこで、この後ご紹介する「手の形を変える」テクニックを使えば、上半身がほどよく脱力し、安定した声を出すことができるようになります。

そうすると、「このテクニックさえ覚えておけば、いつでも安定した声を出せるようになる」と考えてしまいがちです。しかしそれでは、「人前であがってしまう」という問題の根本的な原因を克服できたことにはなりません。テクニックでカバーするだけではなく、真の原因を見つけてそれを取り除くアプローチが必要なのです。

とはいえ、根本的な原因を見つけて対処するには多くの時間がかかります。トラウマを抱えている方にとっては、向き合う勇気も必要でしょう。ですので、これからご紹介するテクニックは、根本原因にアプローチするまでの一時しのぎとして、上手に使っていただきたいと考えています。

02 手の形ひとつで呼吸が変わる、声が変わる

ここで、手の形ひとつで声を変えるテクニックをご紹介します。

まずは、手をグーの形に握って深呼吸をしてみてください。息を吸ったときに、胸が大きく膨らむのを感じるはずです。

では次に、小指と薬指だけを折り曲げてみてください。中指、人差し指、親指の3本の指は力を抜いて、軽く曲がった状態にします。そのまま、深呼吸をしてみてください。手をグーにしたときと違い、胸ではなく、腹部が膨らむのを感じませんか？　心なしか、呼吸もしやすいのではないでしょうか。

実は「握る」というグーの形では胸式呼吸になりやすく、首・肩・胸・腕に力が入りやすい状態になるため、声帯のコントロールがしにくくなり、声が震えたり、うまく出せなくなったりします。一方で、小指と薬指を折り曲げると自然と腹式呼吸になり、安定した声が出せるようになります。

手の形を変えることによって、呼吸をするときに使う筋肉が変わります。使う筋肉が変わることで、出てくる声も変わってくるのです。

声色や声質でいえば、少し高い声、明るい声が出るようになります。また、腹式呼吸をして腹部が広がることによって、柔らかく落ち着いた声が出るようになります。

両手が不思議な形になっていると、それを見た聞き手に違和感を与えてしまう場合があるかもしれません。ですので、小指と薬指を折り曲げるのは片方の手だけで構いません。

手の形ひとつで声が変わる

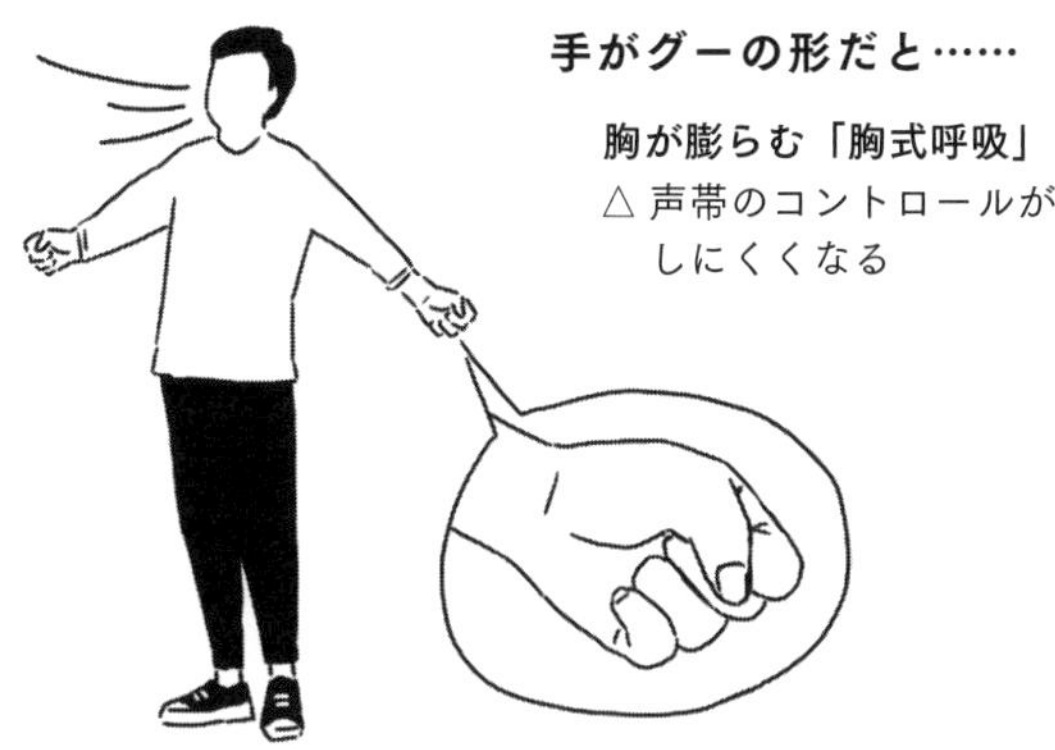

手がグーの形だと……

胸が膨らむ「胸式呼吸」

△ 声帯のコントロールがしにくくなる

薬指と小指を折り曲げると……

お腹が膨らむ「腹式呼吸」

◎ 安定した声が出しやすくなる

また、小指と薬指がほかの3本の指よりも手のひらに近ければ良いので、軽く握った形にして問題ありません。これなら、あらゆるシチュエーションでご活用いただけるでしょう。それでも気になるようでしたら、聞き手に見えないように反対の手で隠すと良いでしょう。

マイクを持つときにも、この手の使い方を意識してみましょう。小指と薬指でマイクを支えるようにしてみてください。中指、人差し指、親指はマイクが落ちないように添えるだけ、というイメージです。

両手で握りしめて話す方や、利き手とは逆の手でしっかりと握りしめる方など、マイクの持ち方は人によってさまざまです。

両手で胸の前にマイクを握っていると心情的には安心できるものですが、声にとってはあまり良い状態ではありません。マイクを強く握りしめているために、肩に力が入ってしまうからです。緊張しているときに「肩の力を抜いて」とはよくいわれますが、実は手の握りを緩めることによって肩の力は自然と抜けていきます。

慣れていないことをすると、つい肩に力が入りがちになります。たとえば、乗り慣れていない車を運転するときにはついハンドルを両手でぎゅっと握りしめてしまい、体が前のめりになってしまいませんか？

プレゼンやスピーチのときも同じで、あがり症の方や不安を抱えている方などは、緊張して肩に力が入りがちです。肩に力が入って声帯が固まると声も硬くなります。そうすると、不自然なイントネーションになったり早口になったりして、自分では意図していない声が出てしまうのです。

納会でスピーチを依頼され、冗談のつもりで「うちの上司は本当に鬼なんですよ」と発言したところ、緊張していたためにイントネーションがおかしくなってしまい、「鬼なんですよ！」と語尾を強くしてしまったとします。語尾が強いと怒ったように聞こえてしまいますから、冗談で言っているのか、それとも本気で憤っているのか、聞いている方は混乱してしまいます。

これでは、伝えたいことが伝わったとはいえません。こうした悲劇は、私たちの日常でもよく起きています。

03 視線の使い方を変えれば声は安定する

目の前に原稿を用意してプレゼンやスピーチに臨むときには、視線が原稿用紙に集中しがちになります。そうすると、Chapter2でお話しした「視る」という状態になりやすいため、体や声が不安定になってしまいます。ここでは一点に視線が集中する状態を解消するために、二点を使って視線を安定させていきます。原稿用紙を見ながら話すときには、次の視線の使い方を試してみてください。

1. 原稿用紙の右端を見る
2. 原稿用紙の左端を見る
3. 3~5回繰り返す
4. 話し始める

このように、二点を交互に見ることによって体のバランスが安定し、出てくる声も安定します。原稿用紙を交互に見るときには、視点の高さは変えずに、視線をスライドさせるようなイメージで行ってください。ウェブ会議なら、パソコンの画面の右端と左端の二点を使って実践できます。

原稿を読んでいると、視線が一点に集中しやすくなります。また、緊張しているときには「二点を見る」ことを思い出すことすら難しいかもしれません。そこでおすすめしたいのが、原稿に印をつけておくことです。楽譜にブレスの位置を書き込むようなイメージで、話の段落が変わる箇所や大事なポイントを話す前のところなど、必要なところに「二点を見る」などと書き込みをしておくといいでしょう。

これはもちろん、本書で紹介するほかのテクニックでも同じように活用できます。あらかじめそれぞれのテクニックのマークを決めておき、原稿に書き込んでおくと、不安や緊張を感じたときでも声の安定を保つことができるのです。

声が安定する視線の使い方

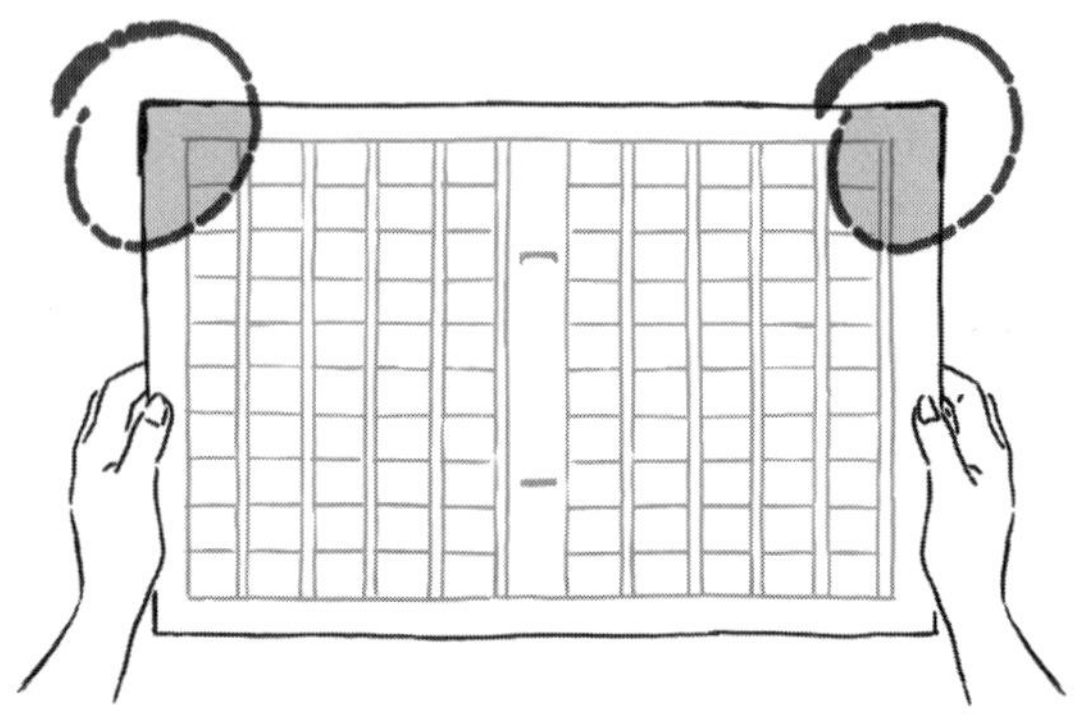

角2点を交互に見ると……

体のバランスが安定し、出てくる声も安定する

04

声を出す前に行いたい1分でできるエクササイズ

ここでは、プレゼンやスピーチの本番前に使えるエクササイズをいくつかご紹介します。本番で声を出す前の少しの時間でできるので、ぜひご活用ください。

顎関節の筋肉をほぐすエクササイズ

耳のあたりに触れながら口を開けると、耳の穴の手前が動きます。ここが顎関節です。両側の顎関節の部分に手を当て、無理なく開く範囲まで口をポカンと開けてください。この状態で、顔の上を滑らせるようにして両手をゆっくりと下ろします。下ろした手を、胸の前で合わせます。「いただきます」のポーズです。これを10回繰り返してください。

顎周辺の筋肉や関節に対して、口が開くべき方向を教えてあげるというイメージで行いましょう。

両手を下ろすときには、目を閉じてリラックスした状態で行ってください。また、両手には力を入れないようにします。

ポイントは、両手を同じ速度で左右対称に下ろすことです。このエクササイズを行うことで、適切な方向に口を開けることができるようになります。

肩甲骨周辺の筋肉をほぐすエクササイズ

肩甲骨周辺は、声だけでなく呼吸にも影響する場所です。スピーチなどで話す前にこの部分をほぐすことによって、声を出しやすくします。

声がこもってしまう方や緊張すると小さい声になってしまう方におすすめのエクササイズです。

1. 肘をまっすぐ前に伸ばす

2. そのまま両手の指を組む
3. その状態で、肘を自分の外側に動かす
4. 次に、肘を内側に動かす
5. この動きを10回繰り返す

肘を動かすときには、手の平が離れないように注意してください。また、肘は曲げずにまっすぐに伸ばします。

このエクササイズを行うことで、声が安定し、滑舌もよくなります。また、適正な音量で声が出せるようになるため、普段声が小さい方は、大きな声も出せるようになります。

肩の力をほどよく抜くエクササイズ

「肩の力を抜こう」と思っても、力んでいる状態から力を抜こうとするのは、実は難しいことです。

肩の部分には、さまざまな筋肉が走っています。そこを優しく刺激することによって力みを優しくほぐし、リラックス状態をつくります。

声が出しやすくなるエクササイズ

顎関節の筋肉をほぐす

1. 耳の穴の前にある
顎関節に手を当てる

2. 口をポカンと開け、
両手をゆっくり下ろす

3. 下ろした手を、胸の前で合わせる

4. 10 回繰り返す

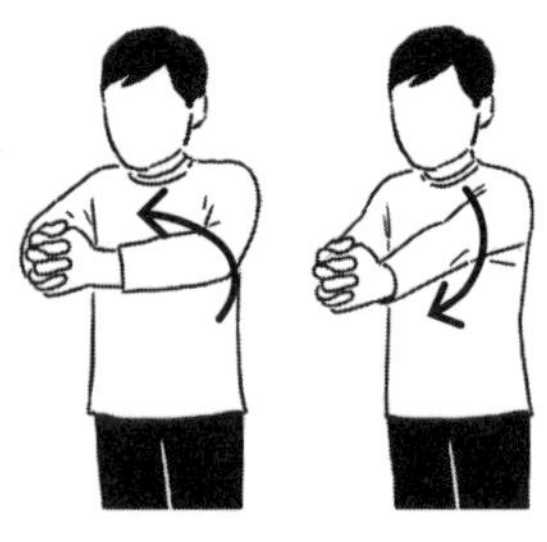

肩甲骨周辺の筋肉をほぐす

1. 肘を前に伸ばし、両手の指を組む

2. 肘を外側に動かす

3. 肘を内側に動かす

4. 10 回繰り返す

肩の力をほどよく抜く

1. 肩に反対の手を当てる

2. ゆっくりと円を描きながら
肩を撫でる

3. 逆回転も同じように行う

4. 30 秒から 1 分間続けたら、
反対の肩も同じように行う

1. 肩に反対の手を当てる
2. ゆっくりと手で円を描きながら肩を撫でる
3. 今度は逆回転で、同じように優しくゆっくりと円を描く
4. 30秒から1分ほど続けたら、反対の肩も同じように行う

力を入れる必要はありません。できれば目を閉じ、肩と手に意識を向け、感じてみてください。

唇を震わせるエクササイズ

唇を閉じたまま口から息を吐こうとすると、唇がプルプルと震えます。

唇をプルプルさせながら「うー」と声を出してください。声の大きさはできるだけ均一に保ちましょう。息苦しくなる手前で止めます。

息を吐く時間が短い場合は、10回ほど繰り返し行ってください。ある程度長い時間息を吐ける場合は、3~5回行います。口元の筋肉がほぐれることで、滑舌良く、響く通る声が出やすくなります。

ハミングを使ったエクササイズ

聞き返されることが多いと、自分の声が小さいせいだと思ってしまい、もっと大きな声を出そうとしがちです。しかし無理に大きな声を出そうとすると、声帯を痛める原因にもなりますし、怒ったような硬い声が出てきてしまいます。

必要なのは、大きな声を出そうとすることではなく、よく通る声、響く声を出すことです。声帯でつくられた音は、鼻腔や口腔、咽頭腔などの「共鳴器官」で反響することで、声として出てきます。この共鳴器官をうまく使えるようになれば、響く通る声を出すことができるのです。また、声の4要素の一つである「音質」は、この共鳴器官をどう使うかによってコントロールすることができます。

響く通る声は、ハミングを使ったエクササイズによって、たった1分でつくることができます。声を出す前に、ぜひ試してみてください。

---

1. ハミングをする
2. ハミングをしたまま口をポカンと開ける
3. そのままいろんな角度に首を動かす
4. 首を動かしながら、声が響く場所を探す

口を開けて声を出しながら首を動かすことで、共鳴器官を最大限に使える頭の位置や角度がどこなのかを探っていきます。こうすることで、響く声、通る声が出るようになります。共鳴器官がうまく使えて声が共鳴すると、ビリビリと振動するのが感じられます。そ

ハミングを使って声が響く場所を探す

声を出す前に1分でできる
共鳴器官のウォーミングアップ

1. ハミングをする
2. ハミングをしたまま口をポカンと開ける
3. そのまま首を動かして声が響く場所を探す

の感覚を目安に探っていきましょう。

響く声が出るようになると滑舌や発音も良くなります。このエクササイズは、大きな声を出す必要がないため、どこでも行うことができます。車の中やトイレなど、1人になれる場所を見つけて、1分ほど続けましょう。

このエクササイズは、声を出す前の共鳴器官のウォーミングアップとして有効ですが、毎日続けることによって、よく通る声が出しやすくなります。すぐに面接やプレゼンの予定があるわけではないものの、響く通る声をつくりたいという方は、1日5回ほど毎日の習慣として続けていただくのも効果的です。

「ホ」の発音を使ったエクササイズ

もう一つのエクササイズは、「ホ」の発音で声を出すエクササイズです。「ホー、ホー、ホー」と30秒間声に出してみてください。音を伸ばす時間は一度につき1〜3秒ほどで、息苦しくなる前に止めます。

発音してみるとわかりますが、「ホ」という音は、共鳴器官の一つである上の歯の裏側に響きを集めやすいのです。このエクササイズも、響く通る声を出すための共鳴器官のウォーミングアップとしてお試しください。

05 体のバランスを整え、声を安定させるテクニック

体のバランスを整えることで安定した声をつくる方法は、まだまだあります。スピーチの最中にも使える、2つのテクニックを紹介しましょう。

指先から声の安定をつくる

「いただきます」をするように、両手の手のひらを合わせてください。この状態では体はとても不安定で、横からポンと押されると、すぐにぐらつきます。

次に、両手でボールを包み込むようにして、両手の指先を合わせてみてください。この状態では体のバランスが整い、安定した声が出てきます。

話し始める前はもちろん、スピーチなどの最中でも、さりげなく両手の指先を合わせることで声を安定させることができます。ちなみに、ドイツのメルケル元首相はよくこの手の形を使っていました。効能についてご存じだったかはわかりませんが、自然と体が安定するフォームとして取り入れていたのかもしれません。

体のバランスが整うことは心の安定にもつながりますから、スピーチの最中に少し不安になったときなどにも、ぜひ活用していただきたいテクニックです。

溜め息で声の上ずりを防ぐ

声が上ずってしまう理由の一つに、息を吸いすぎていることが挙げられます。必要以上に息を吸っているために、首・肩・胸・腕など上半身に力が入ってしまい、結果的に声が不安定になり、上ずってしまっているのです。

---

1. 声を出す前に一回軽く溜め息をつく
2. そして残っている息の量だけで声を出す

これだけのことですが、息の吸い過ぎによって声が上ずるのを防ぐことができます。

一瞬で体をリラックス状態に持っていく

上半身が力みやすい方や過緊張気味の方に試していただきたいのが、このテクニックです。これを行うだけで、一瞬で体をリラックス状態に持っていくことができます。

---

1. 手をグーにして、全身に力を入れる
2. 5〜10秒間キープする
3. 力を抜く

たったこれだけで、体の力が瞬時に抜け、リラックス状態をつくることができます。
力んでいる状態で中途半端に「力を抜こう」「脱力しよう」と思っても、リラックスすることはできません。リラックスして力を抜きたいのであれば、まずは逆に思い切り力を入れてしまうのが近道です。全身にグッと力を入れ、解放することによって、余計な力が全て抜けていきます。緊張してもそこまで力むことがない、という方は、椅子に座って背もたれに全体重を乗せて脱力するという方法でも構いません。

本書でご紹介しているエクササイズやテクニックは、簡単に実践できるものばかりです。まずは試してみて、自分の体に合うかどうかを確認してみることをおすすめします。体に合わないものを続けるよりも、合うもの、続けやすいものを選んでいただくことがベストです。

声を安定させるエクササイズ

**体を安定させ、
出てくる声の安定感を
アップさせる**

ボールを包み込むようにして、
両手の指を合わせる

声の上ずりを防ぐ

声を出す前に軽く溜め息をつき、
残っている息だけで声を出す

**体に入っている
余計な力を抜く**

全身に力を入れ、
5～10秒間キープしてから
解放する

06

怒鳴り声は息の量で解消できる

小学校の教員をされている男性から、「怒鳴っているつもりはないのに子どもたちから怖がられる」という相談を受けたことがありました。たくさんの子どもたちがいる場では、しばしば先生が大きな声を出して子どもたちを誘導したり、指導したりすることが求められます。その男性も、子どもたちに「静かにしなさい」などの指導を行っていたそうです。

ところが、大きな声を出すとどうしても怒鳴り声になってしまうため、子どもたちが「怒られた」と怯えてしまい、それが保護者の方にも伝わって問題になったというのです。

Introductionでも、声が原因でパワーハラスメントだと訴えられてしまった方の事例をご紹介しました。本人にそのつもりがなかったとしても、相手が「怒鳴られた」「罵倒された」と感じてしまえば、それが事実になってしまいます。

大きな声を出すと怒鳴り声になってしまうという方は、息を吸ってからすぐに声を出していませんか？　これは生理学的に仕方がないことなのですが、息を吸ってすぐに声を出すと、どうしても第一声に息の量が強く出てしまいます。そのため必要以上に大きい声が出てしまい、怒鳴り声に聞こえてしまうのです。

それを防ぐためには、息を吸って一回小さく溜め息をついてから声を出すようにしましょう。少ない息では怒鳴り声を出すことができないからです。

これは怒鳴り声の解消だけではなく、アンガーマネジメントのテクニックとしても活用できるでしょう。怒りの感情が起こったとき、6秒待つと怒りは鎮まるといわれています。

07 2色の声を自在にあやつる

私たちがメモを取ったり資料を作成したりするとき、大事な箇所は赤ペンやマーカーなどを使って文字を強調しますね。視覚に限らず、聴覚においても同じことをしてみましょう。2色の声を使い分けることで、大事なポイントが相手に伝わりやすくなるのです。

たとえば、大事なポイントを伝えるときには、小指と薬指を折り曲げることで柔らかな声を出す、というように、本書でお伝えするテクニックを声の使い分けに活用できます。

声を構成する4要素を使い分けることでも、2色の声を出すことができます。たとえば、声の強弱（音量）に着目して、大事なポイントは声の音量を小さくしてみたり、テンポを変えてみたりする。これだけでも、2色の声を使い分けていることになります。

ちなみに、小さい声やささやき声は、聞き手の集中力を高める効果があります。よく「耳をそばだてる」という言い方をしますが、小さい声は聞き取りにくいため、より集中して聞き取ろうという心理が働くのです。ですから、大事なポイントを伝えるときには、大きい声で伝えるよりも、少し小さめの声で伝えるとより効果的です。

Introductionで、スティーブ・ジョブズのプレゼンについてご紹介しました。声に着目してジョブズのプレゼンをご覧いただければ、少なくとも3種類の声を使い分けていることがわかるのではないでしょうか。最も有名な初代iPhoneのプレゼンの中で、ジョブズがどんな状況のときにどんな声を使っていたのかをご紹介します。

ジョブズがステージに登場し、画期的な新製品の発表を予告するシーン

高低……低く　テンポ…ゆっくり
強弱……弱く（小さく）　音質……柔らかな声

この声を使うことで、聴衆の気持ちに寄り添い、共感を高めています。開始14秒で、すでに会場の期待は最高潮へと達しました。

「音楽プレイヤー、電話、インターネット通信端末が1つになった」ことを聴衆に察知させるシーン

高低……やや低く　テンポ…徐々に速く
強弱……徐々に強く　音質……通る声

「iPod」「電話」「インターネット通信端末」……、3つの言葉を繰り返し使うことで、想像を掻き立てます。そして繰り返すごとに、声は力強くなります。

電話のダイヤルがついたiPodの画像を「iPhone」として聴衆に見せるシーン

高低……やや高く　テンポ…普通
強弱……普通　音質……明るい声

興奮していた聴衆をユーモアでほぐして、次の説明を落ち着いて聴いてもらうことを目的としています。

既存のスマートフォンの問題点について説明するシーン

高低……普通　テンポ…速く
強弱……やや強く　音質……普通

問題提起をし、聴衆の共感を誘っています。

ジョブズのプレゼンはYouTubeなどの動画サイトで見ることができますから、ぜひチェックして、声の使い分けの参考にしてみましょう。

08

小さな声も早口も使い方次第で武器になる

商談などでゆっくり話す人を見ると、「落ち着いていて自信がありそうだな」と感じることがあります。それを見ると、自分が早口で話してしまう癖をなくしたいと考える人も多いでしょう。

近年、早口の方が増えてきたように感じます。テレビやラジオに登場するお笑い芸人の方々は、軽快なテンポでポンポンと言葉を交わし、笑いをとっています。また、最近では時間効率を意識して動画を倍速で視聴する習慣も広がってきているようです。早口の方が増えたのは、視聴者側がそのテンポに慣れていき、自分たちも影響されて話すテンポが速くなっているという側面もありそうです。

早口で悩んでいる方にお伝えしたいのが、実は早口には大きなメリットがあるということです。

相手に理解してもらいたいとき、納得してほしいときなどは、早口で話すことによって相手の聞く集中力が増すことがわかっています。大事なポイントほど、小さい声で、かつ早口で伝える方が、相手が集中して聞き取ろうとしてくれるようになるのです。

逆にテンポを遅くすると、聞く側の集中力が弱まることもわかっています。確かに聞き手側に立ってみると、ゆっくり話されるとだんだん眠くなってしまうことがありますね。それを逆手に取ると、相手を癒やしたい、ホッとしてほしい、安心させたいという場合には、話すテンポを遅くするのが効果的です。

声の強弱とテンポを組み合わせることによって、相手に与える印象が変わってきます。たとえば、大きな声で速いテンポで話すと、人に熱量を感じさせます。「すごく頑張っているな」「情熱的だな」という印象を与えられるのです。

選挙の際、各政党の演説を聞き比べてみてもいいですね。「この人は熱意があるな」とあなたが思う選挙演説を分析してみてください。声量（強弱）は大きく、速いテンポで話していることがわかるはずです。

早口には高い効果があり、大きな武器として使うことができるのです。早口を否定し、無理に改善しようとする必要はありません。早口と、ゆっくりのテンポを上手に使い分けることができればいいのです。

ただ、テンポを思うようにコントロールできず、「話すとどうしても早口になってしまう」という方もいることでしょう。この場合、プレゼンやスピーチの最中に「テンポを落とそう」と思ったところで、軌道修正するのは難しいものです。それに、テンポに気をとられてしまって肝心のプレゼン内容が頭から飛んでしまったり、強弱や音質がぐちゃぐちゃになってしまったりすると、たとえテンポのコントロールがうまくいったとしても逆効果です。

テンポのコントロールがうまくいかない方は、「間」を意識するようにしてみてください。息継ぎをするときに、ワンテンポ置いてゆっくり呼吸をする時間をつくるのです。そうすることで、次に話し出すときには、自然とゆっくりとしたテンポで始めることができます。

09

声の音量が上がる腕のストレッチ

声が小さくて悩んでいる方に話を聞くと、「聞き返されてしまう負担」と「相手に迷惑をかけているかもしれない不安」という2つの悩みを抱えていることが多いようです。

聞き返される頻度が高いと、どうしても声を発することが怖くなったり億劫になったりして、できるだけ話さなくて済むように人と接する機会を減らしたり、自分から発言することを控えるようになったりします。しかし、大事なポイントを伝えるときには、小さい声で話した方が相手の集中力が高まるというのは、先ほどお伝えした通りです。

今よりも少しだけ大きな声が出せるようになれば、小さい声と大きい声を使い分けることができるようになります。普段あなたが使っている小さめの声を武器に変えられるように、少しだけ大きな声を出せるようになるテクニックを身につけておきましょう。

ここでは、声が小さくて聞き返されてしまう方、滑舌が悪くて聞き返されてしまう方、響く通る声を出したい方におすすめの、短時間でできるストレッチをご紹介します。声を出す前にこのストレッチを試していただくことで、よく通る声が出しやすくなります。先に紹介した「声を出す前に行いたい1分でできるエクササイズ」と組み合わせながら、うまく活用してください。やり方はとても簡単です。

---

1. 両方の腕を前に出し、曲げる
2. 腕を伸ばす
3. もう一度腕を曲げる
4. 腕を下ろす

ポイントは、それぞれの動きをするときに「〇〇されちゃった」と思いながら行うことです。肘を折り曲げるときには「肘を曲げられちゃった」、伸ばすときには「伸ばされちゃった」、下ろすときには「下ろされちゃった」というふうに、頭の中で唱えながらやってみてください。間違っても「肘を曲げる」「伸ばす」というふうにしないでください。「誰か

声の音量が上がる腕のストレッチ

1. 腕を曲げる

2. 腕を伸ばす

3. 腕を曲げる

4. 腕を下ろす

に動かされた」というイメージを使うことによって、余計な力が抜けていくのです。

誰かに動かされるイメージを持っても、実際に手を動かすのは自分なので、完全に脱力してだらりとなるのではなく適度な緊張を残すことができます。このストレッチをすることによって声の音量は勝手に上がり、発音も明瞭になっていきます。

10 「吹く息」と「吐く息」で声をコントロールする

「自分では普通に話しているつもりなのに『怒っているの?』と聞かれることがある」「録音した自分の声を聞いてみたら、どこか冷たい印象を感じた」という方におすすめなのが、息の使い分けで声をコントロールする方法です。

声の印象は、体の外に出ていく息の状態によって決まります。声が震えやすい人は、息が震えてしまうために声が震えます。肩やお腹が力んでしまうと、息を出すときに硬い息が出てしまい、声も硬くなってしまうのです。

ですから、声を意識する前に、息の状態について意識してみてください。声のパフォーマンスを上げるためには、胸式呼吸ではなく腹式呼吸を使います。本書でも、力を抜いて腹式呼吸の状態をつくるテクニックをご紹介しました。

腹式呼吸を意識するとき、多くの人は息を吸う方にフォーカスしがちですが、外に出す息を意識しながら腹式呼吸を行ってみてください。

吸う息に集中してしまうと呼吸が乱れます。呼吸が乱れると、安定した声を出すことが難しくなってしまいます。息を外に出すと、肺から空気が抜けていきますから、自然に空気がまた入ってきます。これだけでいいのです。

あなたが外に息を出すとき、口の形はどうなっていますか?

ローソクの火を消すときに「ふー」と「吹く息」は、口の形が母音のウの形になっています。また「はあ」と「吐く息」は、口の形が母音のアの形になっています。

熱い物を食べるとき、吹く息を使うと冷ますことができますが、これは吐く息よりも吹く息の方が風速が強いからです。一方、寒い手を温めるときは吐く息を使います。これは、

「吹く息」と「吐く息」で声が変わる

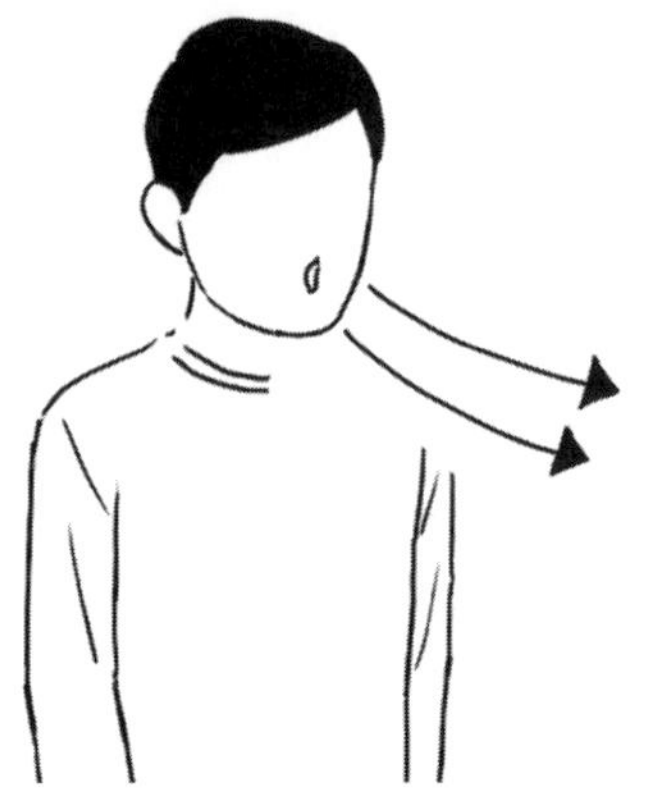

吹く息

- 口が「ウ」の形
- 風速が強い
- 明るく元気な印象の声

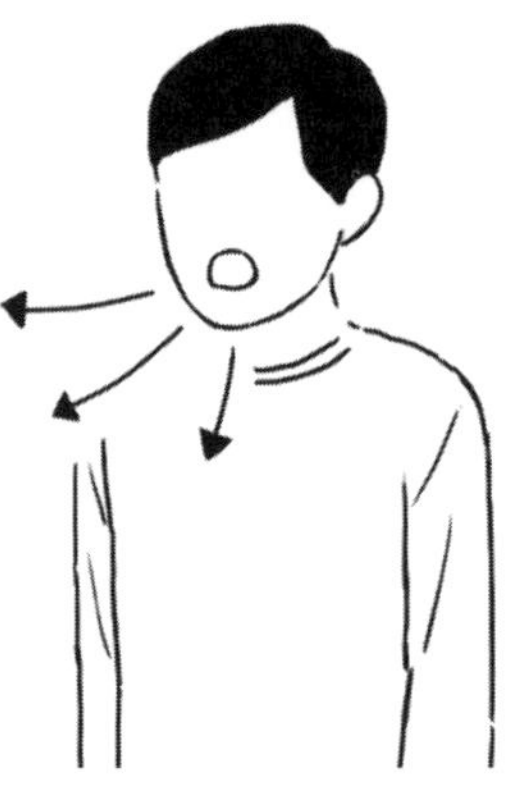

吐く息

- 口が「ア」の形
- 風速が弱い
- 柔らかく落ち着いた印象の声

風速が弱いために外気を巻き込みにくいからです。吹き矢を吐く息で飛ばそうとしても飛んでいきませんし、吐く息ではローソクの火も消すことができません。

お腹の前面部(腹直筋)に手を当てて息を吹くと、お腹がギュッとへこむのがわかります。一方、吐く息では、腹直筋がへこみにくくなります。吹く息と吐く息とでは風速が違いますが、息の使い方によって筋肉の使い方も変わるのです。筋肉の使い方が変わると、出てくる声も変わってきます。

はあ、と息を出したときに、そこに自然と声を乗せてみてください。吹く息を使ったときも同じで、ふー、と息を出しつつ、声を乗せてみます。そうすると、声質にかなり違いがあることがわかります。

吹く息で声を出すと、明るく元気な印象の声が出てきます。その半面、息が強すぎると相手に威圧感を与えてしまうこともあります。一方、吐く息で声を出すと、柔らかく落ち着いた印象の声が出てきます。このようにして息を使い分けることによって、声の4要素のうちの「音質」をコントロールすることができるのです。

明るく元気に話したい場合は吹く息を使い、相手を穏やかにリラックスさせたい場合は吐く息を使うことで、相手を惹きつけることができます。吹く息と吐く息を使い分けることによって、2種類の声が使えるようになり、相手に与える印象を変えることができるようになるのです。

Summary of Chapter 3

◆テクニックは、声が不安定になる根本原因にアプローチするためのつなぎとして使う「一時しのぎ」のもの。

◆片手の小指と薬指を折り曲げると、上半身の力が抜け、自然と腹式呼吸になり、安定した声が出てくる。

◆原稿用紙や、PCのモニターなどの上の角二点を交互に見ると、体のバランスが安定し出てくる声も安定する。

◆資料の大事な箇所にマーカーを引くように、2色の声を使い分けることが重要。スティーブ・ジョブズは少なくとも3種類の声を使い分け、聴衆を惹きつけた。

◆小さな声や早口には、相手の集中力を高める効果がある。少し大きめの声やゆっくりのテンポを身につけて使い分ければ、コンプレックスが武器に変わる。

◆声を出すときの息の種類には「吹く息」と「吐く息」がある。2つを使い分けることで、声の音質（＝声色）を変えることができる。

Chapter 4

体

理想の声を手に入れる
体の整え方

01

毎日の生活習慣が声を形づくっている

声に関するお悩みを持つ方が見落としがちなのが、普段の生活習慣が声に及ぼす影響の大きさです。

私のところに、ある方から相談が寄せられました。滑舌が悪く、いつも聞き返されるため、次第に人と話すことが億劫になってしまったそうです。仕事先でも上司の方や同僚から聞き返されることが耐えられず、なんとかしたいと私のところに来られました。

声のことで悩んでいる方には、まずは生理学的な疾患を抱えていないかどうかを確認します。生理学的疾患が原因であれば、発声練習やエクササイズなどを行っても原因を取り除くことはできないからです。

まず、この方に「耳鼻咽喉科には行かれましたか？」とお尋ねしました。すると、病院には通ったけれど、声帯もきれいで生理学的には何の問題もないと言われたとのこと。そこで、現在どのような生活を送られていて、どんなときに聞き返されることが多いのかを詳しく探っていきました。

この方は就職したころからデスクワークが主で、会社から支給されたノートパソコンに向かう時間が1日8時間以上あったそうです。さらに、学生のころから本を読むのが好きで、いつも読書をしていたとのこと。実際に姿勢を確認してみると、低い位置にあるパソコンの画面をのぞき込むようにして仕事をしていました。つまり、かなりの猫背になっていたわけです。

猫背の人は顎が前に出やすくなりますが、顎が前に出ると喉周辺の筋肉が固まりやすくなります。この方の滑舌が悪いのは、慢性的な猫背が原因だったのです。このように、普段の生活習慣が如実に表れるのが「声」なのです。

声が若々しい、または声が老けている、という表現もよく耳にすることでしょう。生活習慣が乱れて疲労がたまっている方は、そうでない方に比べて年齢よりも声が老けがちです。肌や髪と同様に、やはり日々の睡眠や栄養、ストレスなどが声にも影響するのです。

見た目が老けているのに内臓は年齢より若い、という方が少ないように、見た目が老けているのに声は若々しいということも少ないものです。内臓が若い方は肌もツヤがあって若々しく見えるものですし、声も若々しさを保っています。全てはつながっているのです。

内臓や肌を今よりも若返らせることは難しいものですが、できるだけダメージを蓄積させないようにして老化を遅らせることはできます。声についても同じです。声帯は消耗していくもので、基本的にはダメージが蓄積されていきますから、いかにダメージを抑え、消耗を遅らせるかが大切です。声帯に負担をかけ過ぎない声の出し方や使い方を身につけることによって、健康で若々しい声を長く保つことができるのです。

02

食事の摂り方が声の調子を左右する

声のパフォーマンスが上がらない方は、食事についても振り返ってみることをおすすめします。

ある方から、「以前は安定して声が出ていたのに、最近では人前で話すときに声が出にくくなり、集中力も途切れやすくなった」というご相談を受けました。

こうしたご相談を受けたときには、その方の生活習慣から声が出にくくなったときの状況などを詳しく伺っていき、原因を探ります。特に緊張して声が出にくい、というご相談を受けたときには、砂糖を1日に何回摂取しているかをお聞きします。チョコ1個でも、食べれば1回とカウントします。

この方の砂糖の摂取量を確認したところ、1日に何度もチョコや飴などを食べていることがわかりました。人前に出て話をする機会が増え、緊張して大きなストレスを感じるようになったため、つい甘いものをたくさん摂ってしまっていたようです。

声のパフォーマンスを保つうえでは、小麦や砂糖の摂取に注意が必要です。コーヒーを1日に何回も飲まれる方は、砂糖やシロップを入れすぎていないか確認してみてください。

なぜ、甘いものを摂りすぎると声のパフォーマンスが下がるのかというと、砂糖や小麦は血糖値を急激に上げ、その後急激に下げる作用があるからです。つまり、砂糖や小麦を摂りすぎると、低血糖の症状が出てしまうのです。実際に、人前に立って話をするときに緊張してうまく話せないという方に話を伺うと、高確率で砂糖の摂取量が多かったり、話をする前に甘いものを摂取していたりします。プレゼンやスピーチをするにあたり頭の回転をよくしなければと考え、それには糖分が必要だと思って積極的に甘いものを食べている方も多く見受けられます。しかし、結果的に低血糖になり、声のパフォーマンスは当然下がります。

さらには、血糖値が下がるとイライラしたり不安になったりし、緊張しやすくなる原因にもなります。「自分は人前に出ると緊張しやすいタイプなんだ」と思っていたのに、実は糖のコントロールがうまくいっていないだけという可能性もあるのです。

もう一つ食事に関して注意していただきたいのが、プレゼンやスピーチの前に食べ過ぎてしまうことです。

プレゼンやスピーチは体力を使いますから、腹ごしらえは確かに必要です。しかし満腹になるまで食事をしてしまうと、眠くなってしまいます。これは、満腹になったことによって血液が消化器官の方へ回されるからです。脳の回転が低下しますから、食事の量には注意が必要です。

満腹になるまで食事をすることによる弊害は、それだけではありません。腹式呼吸をするとき、横隔膜が下へ動くことで息が入ってきます。しかし胃にたくさんものが詰まっていると横隔膜が下に動きにくくなり、腹式呼吸がしにくくなるのです。そうすると、自ずと胸式呼吸の割合が多くなり、喉の位置が安定せず、声のコントロールが難しくなってしまうのです。

スピーチやプレゼンテーション、商談などの本番前には砂糖の摂取は避け、ゆるやかに血糖値の上がる食事を選びましょう。できれば和食がおすすめです。玄米であればさらにいいのですが、白飯であれば量を少なめにします。そうすることで、急激な血糖値の上昇と急降下を防ぐことができます。

また、本番の1時間前には食事を済ませておきましょう。食べる量は「腹6分目」と心得てください。そうすることで、安定した声が出せるようになります。

03 プレゼンやスピーチを「特別な場」にしない

大勢の人の前に立ってプレゼンやスピーチを行う際、普段とは異なるフォーマルな装いが求められることもあるでしょう。その日のために上質なスーツを下ろしたり、女性であればいつもより高いヒールを履いたりして臨むという方も多いと思います。ただ、安定した声を出すためには、普段とあまりにも違う装いはおすすめできません。

たとえば、ヒールの高さが普段履いている靴よりも少し高くなれば、足首が硬くなって不安定な声につながります。普段はあまり体を締めつけないサイズのスーツを着用している男性が、本番当日は少しタイトなスーツを着るという場合も、同じ理由で注意する必要があるでしょう。

体のバランスが普段と変わってしまい声が不安定になると、それが焦りを招き、さらにパフォーマンスが低下するという悪循環に陥ってしまいます。

「いつもと違う」ことが悪い方へ作用するのは、心も同じです。

毎週のようにプレゼンやスピーチの機会がある方はまだいいのですが、半年に1回、あるいは年に1回ほどしかそのような機会がない場合、どうしても本番を「特別な場」だと捉えがちです。日常ではない「特別なもの」として扱ってしまうと、その場に飲まれやすくなってしまうのです。

自分を見失い、地に足がついていない状態になると、声のパフォーマンスはガクッと落ちてしまうでしょう。どんな環境でも安定してパフォーマンスを出せる自分であるために、普段の過ごし方がとても大切なのです。

プレゼンやスピーチには、なるべく普段と同じコンディションで臨むことが一番ですが、もしも本番当日に着たい服や履きたい靴が決まっている場合は、普段の生活においても同じような服や靴を着用して、軽く慣らしておきましょう。

また、1週間に1回、最低でも1カ月に1回は、本番を想定した環境で、本番と同じコンディションで声を出す訓練を続けていくことが大切です。本番は座って話すのか、立って話すのか。マイクはあるのか肉声なのか。どれくらいの人数の前で話をするのか。「特別な雰囲気」に飲まれ、心と体のバランスを崩さないために、できる準備を怠らないようにしましょう。

04

年齢を重ねると声は高くなる？ 低くなる？

あるとき、年齢を重ねて役職が上がり、責任者として多くの社員を指導する立場になった方から、「以前のように重みのある声が出しにくくなった」という相談を受けました。年齢とともに声が軽く、高くなっている気がするというのです。

また逆に、過去には出せていた高い声が出なくなった、という悩みを抱えている方から相談を受けることもあります。

人の声が年齢によって変化することは、Chapter1でお話ししました。声の移り変わりを、人の一生に照らし合わせながら見ていきましょう。

私たちは泣きながら生まれてきますが、このときの産声の高さは、ほとんど全ての赤ちゃんに共通して「ラ」の高さだといわれています。

成長して幼児期を過ぎ学童期に入ると、子どもの声として完成します。それから変声期、つまり思春期を迎えます。思春期においては、女性は女性ホルモンが、男性は男性ホルモンが分泌され始めます。このホルモンの影響によって声変わりが起こります。

声変わりは男性だけに見られる現象のように思われがちですが、男女ともに声変わりを経験します。女性は声が低くなるというより、声の質感が変わり、より大人っぽい声に変わっていきます。これも女性ホルモンの影響によるものです。ちなみに、顕著に声の違いがわかるのは男性で、約1オクターブ声が低くなります。

声変わりは、3カ月~1年ほど続きます。この時期に声が出しにくいと感じる人もいますから、声が出しにくいことによってコミュニケーションで困っていないかを、周囲の大人が気にかけてあげることも大切です。

声変わりが終わったらすぐに成人の声が出来上がるわけではありません。20代半ばで軟骨が固まり、このあたりで成人の声がほぼ完成するのです。

声はその後も変わり続け、更年期になると2回目の変声期を迎えます。女性の場合は女性ホルモンが減るため、声が低くなっていきます。逆に、男性の場合は男性ホルモンが減少するため、声が高くなっていきます。これは、老化によって喉頭や声帯が萎縮してくることも原因の一つです。

70代に入ると声帯がさらに萎縮して固くなり、男性は高い声になります。そして男性と女性の声は、同じような高さ、質感の声になるのです。

このように、人の一生を通じて声は常に変わり続けているものなのです。

これだけの変化が起きていることを知っておくことで、変化に対して動揺したり落ち込んだりせず、その時々に合わせたアプローチで声を整えていくことができます。

自分の声であっても、声との出合いは一期一会です。声の変化は生理的に起こりうる自然の流れで、ひとときとして同じ声はありません。このことを理解すると、自分の今の声と向き合い、声を磨く習慣を楽しむことができるようになるはずです。

声の高さや質が年齢によって変化することを知らないままだと、声が変化したときに無理をして元の声を出そうとしてしまうことがあります。

声の変化に抗って無理にそれまでと同じ声を出そうとすると、声をつぶしてしまいます。声帯は楽器でいう弦のようなもので、再生能力はないといわれています。年齢に見合った声の高さを受け入れながら、声を磨いていきましょう。

また、講師や歌手、声優など、職業柄よく声を使う方に知っておいていただきたいのが、声に脂が乗る時期です。

声に脂が乗るのは40代だといわれています。体力もあり体も若い20~30代の間に声を張り上げたりして酷使してしまうと、衰えも早まります。若いときは無理をしすぎず、40代を超えたら、定期的に声のメンテナンスを行うように心がけてみてください。どの年代にも共通することですが、声はたくさん使ったら休ませることが大切です。

05 安定した声が出る骨盤の角度

声を安定して出したいとき、最初に取り組んでいただきたいのが体の安定をつくることです。私たちの体は、一部に負荷をかけすぎると、その部分を痛めてしまいます。重たい荷物を持つときには、腰を低く落としますね。腰を高くしたまま重い荷物を持ち上げると、腰に負荷が集中し、痛めてしまうからです。腰を落とすことによって、膝、足首などほかの部位に負荷を分散させているわけです。

声を出すときには声帯を使いますが、同じ筋肉ばかり使って声を出していると、特定の部位に負担が集中してしまうため、安定した声を出し続けることが難しくなってしまいます。人と比べて話す量が多いわけでもないのに、すぐに声が枯れてしまうという方は、それが大きな原因の一つでしょう。

ボクサーなどのアスリートやエアロビクスの先生には、一般の方よりも声が枯れやすいというお悩みを持つ方が多い印象があります。お腹の前面部にある腹直筋が発達していることで、声を出すときにも無意識に腹直筋に力が集中してしまうようです。スポーツや筋力トレーニングを習慣にしている方にも多い傾向ですので、注意しましょう。

安定した声を出し続けるためには、特定の部位だけを使うのではなく、全身の筋肉をまんべんなく使えるようにすることがポイントです。

ここでは、座位と立位、それぞれにおいて安定した声を出すためのフォームのつくり方を見ていきましょう。

まず、椅子に腰掛けます。このとき、膝や足首、腰などの関節の部分ができるだけ緩んだ状態にするために、膝の角度が90度になる椅子の高さがベストです。角度が浅かったり深かったりすると、座ったときに膝や腰に余計な力が入ってしまいます。

太ももの裏が椅子に触れない程度まで浅く腰掛けてください。ただし、座ったときに体に力が入っていると感じたときは、深く座って背もたれに全体重をかけ、脱力して余計な力を抜きましょう。背もたれに背中が密着したままだと、息を吸ったときに背面を広げることができませんので、脱力できたと感じたら、背もたれから背中を起こします。

次に、下半身を見ていきます。両足を開く幅の目安は、腸骨（骨盤の左右に出っ張っている大きな骨）のあたりまで。最大でも、肩幅くらいまでです。男性は椅子に腰掛けるときに足を広げがちですが、腸骨よりも広く足を開いてしまうと、足に力が入りやすくなってしまいます。安定した声を出しやすくするポイントは、全身の筋肉を使うこと。そのためにも、あえて特定の箇所に力が集まらない状態を保つことが大切です。

続いて、力を抜いたまま猫背の姿勢をつくりましょう。弛緩状態を最初につくるのです。猫背の姿勢をつくったら、その状態で「座骨」を感じてみてください。座骨とは、骨盤の最も下にある左右一体になった骨のことで、座ったときに椅子に当たる部分です。

猫背になっているとき、座骨は後ろに倒れて寝ている状態です。

そして、寝ている座骨をゆっくり起こしていくと体が起き上がってきて、猫背の状態ではなくなります。これが、安定した声が出しやすくなる姿勢です。

このとき、腰のあたりに張りを感じる場合は、起こしすぎです。体に負担がかかってしまい、姿勢自体も長続きしませんし、詰まった声、こもった声が出やすくなってしまいます。腹部や腰、背中に張りが出ないベストなポジションを探しましょう。

このエクササイズによって、寝ていた骨盤が起き上がります。骨盤の角度がどうなっているかによって使う筋肉の場所が変わってくるのです。

骨盤は、上半身を乗せる器のようなイメージです。骨盤の角度が定まったら、そこを土台にして下からお腹、胸、首、頭と積み上げていくイメージで姿勢を整えていきましょう。注意しなければならないのは「背筋を伸ばして胸を張る」姿勢は、声にとっては禁物だということです。見栄えはいいのですが、上半身の筋肉が固くなりすぎてしまうことで声が不安定になります。必ず、骨盤の角度から姿勢を整えるようにしましょう。

「座骨移動」で声が安定する姿勢をつくる

1. 太ももの裏が椅子に触れないように浅く腰掛ける。

2. 両足は「腸骨」くらいまで開く。最大でも肩幅まで。

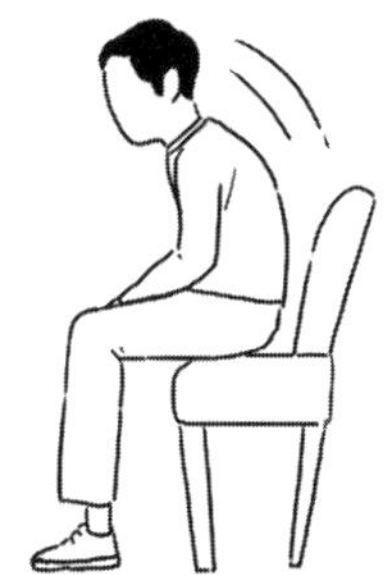

3. 力を抜き、猫背の姿勢をつくる。

4. 骨盤の最下部に左右1つずつある「座骨」に意識を向ける。

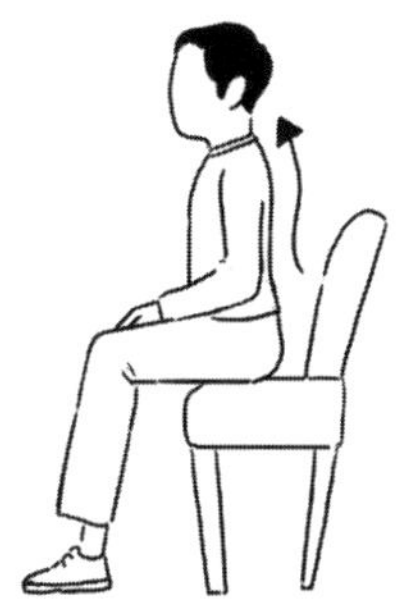

5. 寝ている座骨をゆっくり起こす。

これで、座位の姿勢が完成しました。座位の姿勢が出来上がれば、そのまま立つことで立位の姿勢がつくれます。

座位と同じく、立位のときも足を広げるのは両側の腸骨くらいまでに留めましょう。立ってお話をするときに足に力が入ったり足を踏ん張ったりすると、膝が固まってしまいます。その状態で声を出すと、声が震えたり詰まったりして不安定になってしまうのです。

声を安定して出し続けるために大事なことが、足首を固めないことです。足首と膝を柔らかく使えることは、声の柔らかさにつながります。体が硬い、柔らかいということではなく、関節に負荷がかかりにくい体の使い方が大事なのです。

座骨を移動させて骨盤の角度を決めることが、座位の姿勢をつくる際に大切なポイントです。骨盤の角度が正しい位置に収まれば、安定した声が出るようになります。1日に1回以上、この座位の姿勢をつくってみるようにしましょう。1カ月も続ければ、意識をせずともこの姿勢をつくることができるようになります。

06

かえって声が上ずる「間違った深呼吸」

　ここで少し本書を置いて、呼吸に意識を向けてみてください。1分間のうちに自分が何回呼吸をしているかを測ってみます。タイマーやストップウォッチをお持ちの方は、ぜひそれを使って正確な数字を出してみてください。

　さあ、1分が経過しました。あなたは何回呼吸をしていましたか？

　セミナーでも参加者の方に呼吸の回数を測っていただくことがあるのですが、1分間に10回くらいという方もいれば、40回という方もいて、かなりバラバラです。

　男女差や個人差はあるものの、成人の正常な呼吸数は1分間あたり12～20回といわれています。子どもはそれよりも多く、新生児では35～50回、幼児は25～30回といわれます。

　成人の場合、1分間に25回以上になると「頻呼吸」「過呼吸」などと呼ばれる異常な呼吸と判断されます。1分間あたり40回というのは、かなり多いということがわかりますね。

セミナーに参加されている方のほとんどは、過呼吸症候群などの疾病をお持ちではなく、普段は正常な呼吸ができている方々ばかりです。しかし、呼吸を「意識」するだけで、こんなにも乱れてしまうのです。

呼吸をするとき、脳にある延髄というところから指令が出ていますが、普段、私たちは呼吸を意識することはありません。自然に息を吸い、吐いています。睡眠時無呼吸症候群などの方は別ですが、「呼吸が止まるかもしれない」と不安になりながら眠る方はいないでしょう。

健康のために呼吸法を意識して行うのは良いのですが、声のために呼吸を意識する必要はありません。特に人前で話すことに不安や恐怖を感じている方、緊張しやすい方は、声のコンディションを整えるために呼吸を意識する必要はありません。呼吸を意識してしまうことで、かえって呼吸が乱れ、結果として声も乱れるという逆効果を招くリスクの方が高いからです。

また、深呼吸にも注意が必要です。人は酸素を肺に取り入れ、二酸化炭素を排出しています。緊張すると、体が強ばってしまい息苦しさを感じます。すると周りの人は「深呼吸をしてごらん」とアドバイスをしてくれるかもしれません。

確かに、深呼吸をして体内にたくさんの空気を取り込むことにより、肺が膨らんで上半身の筋肉がほぐれるという効果は期待できます。しかし、緊張状態で深呼吸を重ねると、肺の中に酸素がどんどん増えていきます。そうすると、二酸化炭素と酸素のバランスが崩れてしまい、過呼吸につながることがあるのです。

過呼吸になると、めまいや頭痛が起きたり、口周りや手足のしびれを感じたりします。息苦しさを感じることもあるため、さらに「空気が足りない」と焦って深呼吸をしようとしてしまいますが、実際には体内に十分な量の酸素があるので、これではさらに過呼吸が深刻化してしまいます。

もし深呼吸をするときには、適度な回数に留め、「吸う」よりも「吐く」ことに意識を向けてください。私たちは「大きく息を吸って、吐いて」を繰り返します。しかし、声を発することにおいては、あまりおすすめできません。なぜかというと、「吸う」ことに意識を向けすぎると、胸が膨らむ胸式呼吸になりやすいからです。

繰り返しになりますが、胸式呼吸になると声帯周辺の筋肉が動きにくくなり、声が震えたり、上ずったりしてしまうのです。

「呼吸」の呼は、呼気の呼。呼吸の吸は、吸気の吸です。文字の通り、先に深く息を吐き出すことを意識しましょう。息を吐き出すことで、肺は復元しようとしますから、勝手に息が入ってきます。ですから、飲み物をストローで吸うように息を吸うことに意識を向ける必要はないわけです。

吐き出すときは、軽く溜め息をつくように息を吐きましょう。そうすると上半身は力まず、声帯周辺の筋肉は動きやすくなり、結果的に声が安定します。

また、声が不安定になっているときは、外に出る息の量が不安定になってしまっています。その場合は、一定の時間、一定量の息を吐き出すというエクササイズが有効です。

たとえば10秒間で息を吐ききると決め、10秒の間は同じ量の息を吐くのです。こうすることによって、安定して一定量の息を吐き出すことができるようになります。声は出ていく息で決まりますから、結果として安定した声を出すことができるようになるのです。

07 滑舌を悪化させる意外な習慣

滑舌が悪くて悩んでいる方は「話をしていて滑舌が悪いと自分で感じている」か、「誰かに滑舌が悪いと言われたり、聞き返されることがある」かのどちらかではないでしょうか。相手から聞き返されることがある場合、考えられることが3つあります。1つ目は、実際に滑舌が悪い場合です。2つ目は、声が小さいことにより聞き返されている場合です。また、3つ目は相手の聴力が弱い場合です。

1つ目の実際に滑舌が悪い場合には、何が原因で滑舌が悪くなっているのかをチェックしていきましょう。

滑舌でお悩みの方のなかには、少しでも聞きやすい声が出るようにと、口を大きく開けて大きな声でハキハキと話す方がいますが、実はこれは逆効果です。口を大きく開けることで顎関節周辺の筋肉が固まって動きが鈍くなり、かえって滑舌が悪くなることがあるので避けましょう。

また、睡眠中に食いしばりや歯ぎしりをしていないかどうかもチェックが必要です。食いしばりや歯ぎしりも顎関節や顎関節周辺の筋肉が固くなる原因で、滑舌の悪化につながります。気になる方は、歯医者さんや口腔外科に行って、食いしばりや歯ぎしりをしていないか確認してみてください。もしも食いしばりや歯ぎしりをしている場合は、マウスピースをつくって歯や顎関節へのダメージを減らす必要があります。

また、食いしばりや歯ぎしりをしている場合は、その根本原因を突き止めることが重要です。主に、身体的な原因によるものと精神的な原因によるものが考えられます。

身体的な原因としては、猫背や姿勢の悪さが挙げられます。この場合、姿勢を良くすることによって改善します。姿勢を良くするために、筋力トレーニングやウォーキングなどを取り入れてみると良いでしょう。

精神的な原因としては、人間関係やコミュニケーションで悩んでストレスが溜まっていることが考えられます。この場合は、リラックスできる時間を増やしていきながら、原因を取り除くアプローチを続けていきましょう。

また、滑舌のチェック・改善をするために「母音がきちんと発音できているかどうかを確認する」という方法があります。

まずは、原稿を用意してそれを読んでみます。お友達やご家族に聞いてもらったり、ボイスレコーダーなどを使ったりして自分の発音を確認しましょう。

もし聞きとりにくい部分がある場合は、うまく発音ができない箇所をピックアップし、その箇所の母音だけを声に出して読んでみてください。

たとえば、「ありがとう」という箇所がうまく発音できないのであれば、「ありがとう」から子音を取り除き、「あいあおう」という母音だけを声に出して練習します。

日本語は99％母音がつく言語です。まずは母音の発音がきちんとできるようになれば、滑舌が改善していきます。

毎日の入浴中にできるエクササイズも紹介しておきましょう。習慣化することで滑舌を改善できますので、ぜひ試してみてください。

1. 口の中に水を含む
2. 口をポカンと開け、口の中に含んだ水を下に垂らす

口の開け方を正し、
滑舌を改善するエクササイズ

1. お風呂で、口の中に水を含む。

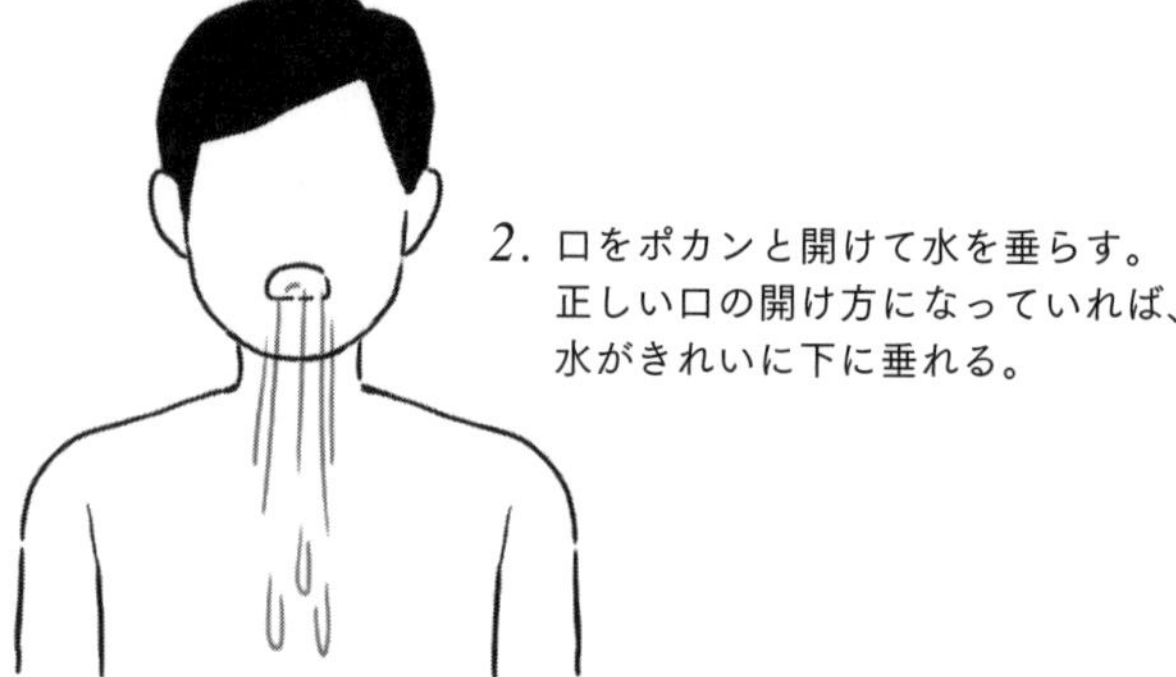

2. 口をポカンと開けて水を垂らす。
正しい口の開け方になっていれば、
水がきれいに下に垂れる。

滑舌が悪くて困っている方は、口の開け方、つまり顎関節の使い方に問題があることがあります。そのため、口の開け方を改善することによって、滑舌が良くなるのです。

口の中に水を含み、ポカンと口を開けて垂らすことができるかどうか試してください。きれいに真下に水を垂らすことができれば、口の開け方が良い状態です。

「水を垂らしてはいけない」という意識が働き、下顎が前に出てきてしまったりすると、水はうまく下に垂れません。そういった方も、このエクササイズを続けていけば、水を真下に垂らすことができるようになっていきます。滑舌を改善するためにぜひご活用ください。

08

使う機会が少なすぎると声は衰える

コロナ禍によって、声を使う機会が減った方も多いことでしょう。在宅勤務が増え、会食はなくなり、誰かと話す機会が少なくなったものです。

コロナ禍を経て、声が出しにくい、声がかすれてしまうと感じる人が増えました。実際に医療機関でも、コロナ禍以前は声の出し過ぎや声帯の酷使による不調を訴える方が多かったのが、コロナ禍以降は、声の出し方がわからなくなった、声が小さくなってしまったという不調を訴える方の受診が増えているようです。

声帯は筋肉ですから、普段よりも使う機会が減ると衰えてしまいます。また、これまでにお話ししてきた通り、声を出すことは体じゅうの筋肉を使う全身運動ですから、運動をする機会が減った方も、声を出すときに使っていた筋肉が衰えてしまったことで声に不調が出ている可能性があります。

声帯の周りの筋肉が衰えてしまうと、声が震えるようになったり、プレゼンやスピーチの途中で息切れするようになったり、声に力が入らず、張りがなくなるなどの変化が起こります。

以前に比べて声を出す機会が減ったり、運動の機会が減ったりしたことによって声が出しにくいと感じるときは、筋力を元に戻すことが大切です。普段から意識して少し大きい声を出すようにするほか、コロナ禍以前と同じくらいの運動量を取り戻すと良いでしょう。

また、声帯を健康に保つためにおすすめなのが、スタッカートで声を出す、次のエクササイズです。

1.「ア・ア・ア・ア」と、1音で声を出す

2. ド・レ・ド・レのように1音違いの音の高さで声を出す

この2つのエクササイズを、15秒ほど行ってください。スタッカートで声を出すことによって声帯が開いたり閉じたりし、声帯を鍛えることができます。

1音違いの音の高さで声を出すときには、出しやすい音階の音で構いません。普段会話

をするくらいの高さの音で、無理のない範囲で行ってみてください。これにより、声の衰えを防ぎ、若々しい話し声を保つことができます。

09 声と向き合い、手入れする習慣をつけよう

一日が終わって家に帰ったら、ほっと一息ついて体をマッサージしたり、一日の中で起きたことを振り返ったりすることでしょう。このとき、その日の声についても振り返ってみてほしいのです。

あなたは今日一日、どんな声を相手に届けることができたでしょうか。振り返りの時間をつくることによって、次の日は、もっと上手に声を使うことができるようになります。

たとえば膝を痛めたとき、ダメージを軽くしてくれる靴やサポーターを使うことも大切ですが、同じくらい大切なのが、できるだけダメージを受けない膝の使い方を身につけることです。声も同じで、消耗品だからできるだけ使わないようにするのではなく、適切な

手入れをしながら使っていくことが大切です。喉が痛いときには、睡眠時間を長くとって喉を休めてあげましょう。喉にダメージが集中しないような声の使い方を身につけるためのエクササイズも有効です。

エクササイズは、1日1分でもいいので最低30日は継続してみてください。肌や髪にするのと同じように、声を手入れする大切な習慣です。

また、毎日行うエクササイズは基本的に1つ、多くても2つに留めましょう。

声の悩みが大きい人ほど、早くなんとかしたいと焦ってしまい、たくさんのエクササイズに取り組もうとします。しかし、闇雲に種類を増やせば効果が早く出るわけではありません。

頭が痛くて頭痛薬を飲むとき、薬の量が多ければ頭痛が早く治まるわけではありませんね。用法・用量を守らなければ、かえって体が傷ついてしまいます。声のエクササイズも同じです。体はそう簡単には変わりませんから、ゆっくりコツコツ続けていって緩やかに変化を促すことが大切なのです。

10

声は心と体の調子を示す最良のバロメーター

私たちは毎朝鏡の前に立ちます。鏡に映る自分自身を見て、「今日は顔がむくんでいるな」「顔色が悪いな」といったように、その日のコンディションを確認しています。顔色が悪ければ、今日はできるだけ休もう、無理をしないようにしようと対処することができますね。むくんでいるなと思ったら、食事に気をつけようと思うかもしれません。

それと同じように、声を通じてそのときのコンディションを知ることができますし、今の自分の体調や心理状態を知ることもできるのです。

たとえば、お酒を飲みすぎた日の翌日は、くぐもったような声になりがちです。これはなぜかというと、お酒を飲み過ぎたことによって声帯がむくんで膨らむからです。お腹を下していると、力のない声になります。風邪を引いていると、ガラガラとかすれた声になります。

また、何らかの疾患によって声帯付近に腫瘍などができてしまうと、声の出方にも影響します。いつもよりも声が低い感じがする、かすれる感じがする。おかしいなと思って病院で検査をしてみたら病気が見つかったという例もあります。

心が疲れていると、弱々しい声になったり、小さい声になったりします。自分の声だけでなく、話している相手の声を聞いて「最近抑揚がないな」「淡々と話すことが増えたな」と感じたら、その方はもしかすると精神的に疲れてしまっているのかもしれません。このことを知っているだけで、家族、友人、同僚、部下など、周りにいる大切な人たちのコンディションの変化に気付くための手掛かりが一つ増えるのです。

鏡の前に立って自分のコンディションを確認するように、声もコンディションを確認するための手段として活用してみてください。朝起きた後に第一声を聞いてみて、自分の体と心がどのような状態なのかをチェックする。そんな習慣を持っていただきたいのです。

ボイスレコーダーに録音して自分の声を聞く必要はありません。外出前に洗面所に立って、鏡の前にいる自分に「おはよう」と一言かけてあげる。そんな些細なことでもいいのです。毎日続けていると、「今日は張りがあるな」とか「今日は声がかすれているな」ということがわかるようになっていきます。

声を通じて今の体調や心理状態に気が付くことができれば、調整することができます。声には思いや情報を伝えるという役割もありますが、心と体の調子を示す最良のバロメーターになるのです。

Summary of Chapter 4

◆ 砂糖を摂りすぎると低血糖を招き、声のパフォーマンスが低下する。

◆「食べ過ぎ」は横隔膜が下へ動きにくくなり、腹式呼吸の妨げになる。声を使う前の食事は「腹6分目」を意識する。

◆「いつもと違う」状態でプレゼンやスピーチの本番を迎えると、心身の不安定につながり、声のパフォーマンスも低下する。定期的に、本番を想定した環境で練習やシミュレーションを行う。

◆ 声を出すときに特定の部位にばかり力が集中すると、声帯に負担がかかる。骨盤の角度を整え、体全体をバランスよく使って発声できるような姿勢をつくる。

◆ 「吸う」ことを意識しすぎた深呼吸は、過呼吸を招く恐れがある。深呼吸は「吸う」よりも「吐く」方に意識を向け、適度な回数に留める。

◆ 声を使う機会が少ないと、声帯は衰える。スタッカートで発声するエクササイズを習慣化することで、声帯を健康な状態に保てる。

◆ 声は、心身の状態を示すバロメーターになる。自分や大切な人の、細かいコンディションの変化に気付けるよう、日々「声」に意識を向けていくことが重要。

おわりに

～個声を磨く、人生が輝く～

本書を最後までお読みいただき、ありがとうございました。ビジネスシーンにおける声の重要性にお気付きになった皆様が、本書をスキルアップのきっかけとして活用してくだされば、これに勝る喜びはありません。

また、皆様にお伝えした「思考と体の使い方を組み合わせて、声のパフォーマンスを高める」というメソッドは、スキルアップだけでなく声のお悩みを抱えている方を救うものでもあります。この考え方は、私が過去に体験した、声にまつわるある出来事がきっかけになって生まれました。

19歳のある日、電車に乗っていた私は、突然息苦しさを感じました。1人では立っていられず、友人に抱えられて電車を降りましたが、症状はどんどん悪くなっていきます。息苦しさだけではなく、胸に圧迫感がある。そして手足がしびれ、瞼が痙攣する。息を吸っても入ってくる感じがしない。

救急車で病院へ運ばれ、医師から「これを口に当てて呼吸をして」と渡されたものは紙袋でした。息を吸い過ぎることにより、肺の中の酸素量が増えてしまう「過換気症候群」です。それからの私は、ことあるごとに、この過換気症候群に悩まされることになります。

緊張をする場面で症状が出る。

話す場面で症状が出ると声が震える。

声が震えるならまだ良い方です。声が出せない、それどころか、その場にいられなくなってしまうことも何度もありました。

この体験を通して「緊張」「不安」「恐怖」は、体の状態を変化させ、呼吸を変化させ、声を変化させる、ということを思い知った私は「心と体の状態が声に与える影響」について考え始めることになったのです。

もしあなたが、声に何かしらのコンプレックスを抱えていたり、プレゼンやスピーチなどの声を出す機会に苦手意識を持っていらっしゃるなら、程度の差こそあれ、過去に声に対する自信を失う体験をされたことがあるのではないでしょうか。緊張して声が不安定になって、伝えたいことをうまく伝えられなかったこと、声が小さくて怒られたこと、なかには強烈なトラウマに悩まされている方もいるかもしれません。そのような記憶が、緊張や不安、恐怖といった敵をつくり出してしまうのです。

本書でお伝えしてきた、思考や体を安定させる数々のテクニックは、声を出すときに襲い掛かってくる敵を追い払うための非常に頼もしい味方になります。自分を追い詰めてくる過去の記憶を、その時間だけ忘れさせてくれるのです。

ただし、忘れないでいただきたいのは「テクニックは対症療法に過ぎない」ということです。

ご紹介したテクニックは、過去の失敗体験やトラウマによって失われた心と体のバランスを、一時的に整えてくれますが、あくまで一時的なものです。テクニックの力を借りてその場をしのげるようになったら、いつかは「緊張」「不安」「恐怖」などといった「声を不安定にさせる大元」と向き合っていく必要があるのです。

私がヴォイスコンサルタントとして、相談者の皆様に行っていただいていることは、まさにそのような作業です。最初こそテクニックをお伝えして対症療法をお試しいただきますが、その後は根本原因へのアプローチへと進んでいきます。

なぜ、自分は緊張してしまうのか。

なぜ、自分は滑舌がよくないのか。

なぜ、自分は声変わりがうまくいかなかったのか。

それまでの人生や普段の生活習慣などを振り返っていただいたりしながら、その根本原因をじっくり探していき、解消していくのです。

根本原因を解消するためには多くの時間が必要です。苦い記憶をお持ちの方にとっては、向き合う勇気も必要でしょう。ですので、そのための一時しのぎとして、本書でご紹介したテクニックをご活用いただければ幸いです。

冒頭でお伝えしたように、磨き抜かれた声は自分の魅力を表現するための強いブランドになります。たくさんの情報であふれかえる現代社会のなかで、自分の思いや大切な情報をまっすぐ届けるために、誰もが生まれながらに持っている、世界にたったひとつの「個声」を大切に育てていってください。

そして「声は贈与である」ということも、ぜひ心に留めておいてください。大切に磨いて育てた個声を、相手の様子やそのときの状況に合わせて使い分けていくことによって、あなたの声がたくさんの幸せや希望を生み出すことにつながるのです。

本書でご紹介したことは、今日からすぐに始めることができ、そして皆様の生涯にわたってお役に立てる内容だと私は信じております。

最後までお付き合いいただきありがとうございました。声と向き合い、磨き上げていく習慣の先にある、皆様の真の魅力が輝き出す未来を心から願っております。

２０２４年1月　林重光

ブックガイド

声や、発声に役立つ体の使い方について、さらに学びたい方におすすめの書籍です。

『美しい声で日本語を話す』米山文明 著（平凡社新書・2007年）

発声メカニズム、日本語のしくみについて知ることができます。また、職業別に求められる声について知ることができ、話の内容を伝えるために声がいかに大事かがわかります。

『発声と身体のレッスン 増補新版 ― 魅力的な「こえ」と「からだ」を作るために』鴻上尚史 著（白水社・2012年）

声を良くするためには、体に意識を向けることが大事であるということを知ることができます。手軽に行えるレッスンも紹介されています。

『イラストで知る 発声ビジュアルガイド』セオドア・ダイモン 著、竹田数章 監訳（音楽之友社・2020年）

声を出すときに、体ではどのようなことが起きているのかを知ることができます。イラストつきで、わかりやすく解説されています。

『驚くほど日常生活を楽にする 武術&身体術 「カラダの技の活かし方」』甲野善紀、甲野陽紀 著（山と渓谷社・2014年）

「歩く」「持つ」「運ぶ」など、体の負担が減って日常動作が楽になる体の使い方を知ることができます。

『DVD付き ヒモトレ入門』小関勲 著（日貿出版社・2017年）

体のバランスを整えるためにヒモを使う「ヒモトレ」。ヒモを体に巻いて行う「ヒモエクササイズ」と日常生活で使える「ヒモ巻き」で、体のバランスを整えます。

『フケ声がいやなら「声筋」を鍛えなさい』渡邊雄介 著（晶文社・2018年）

「人は声から老けていく」。声を若々しく保つためにはどうしたら良いかがわかります。

著者　林重光（はやし・しげみつ）

ヴォイスコンサルタント。MAKE UP VOICE代表。大阪芸術大学芸術学部芸術計画学科卒業。2003年から経営者や政治家、芸能人を対象に「伝えたいことを伝わるように伝える」ための、声と言葉のブランディングを行い、約8,000人を指導。日本銀行、みずほリサーチ＆テクノロジーズ株式会社など行政機関・民間企業・学校向けのセミナーも多数実施。20年間の発声身体技法研究から、独自のメソッド「身体操作と思考操作の組み合わせでパフォーマンスを安定させる技法」を開発。「話す」「読む」「歌う」ことや、発声障害などにより生じる悩みと苦痛を取り除き、短期間でパフォーマンスを安定させることに定評がある。

企画・編集　丹羽祐太朗、細谷健次朗
営業　峯尾良久、長谷川みを、出口圭美
執筆協力　金子千鶴代（ライティングオフィス ステラ・ワークス）
本文デザイン　村上森花（Q.design）
DTP　G.B. Design House
カバーデザイン　酒井由加里（Q.design）
本文イラスト　こかちよ（Q.design）
校正　ヴェリタ

声のデザイン

一瞬で相手を惹きつける　最強のプレゼンスキル

初版発行　2024年1月28日

著者　林重光
編集発行人　坂尾昌昭
発行所　株式会社 G.B.
〒102-0072 東京都千代田区飯田橋 4-1-5
電話　03-3221-8013（営業・編集）
FAX　03-3221-8814（ご注文）
URL　https://www.gbnet.co.jp
印刷所　株式会社シナノパブリッシングプレス

感想を
お聞かせください！

ISBN 978-4-910428-38-3